P9-DFG-617
Les mondes de la magie
du
DIADÈME

John Peel est l'auteur de nombreux romans à succès pour adolescents, notamment des livraisons des séries *Star Trek*, *Are You Afraid of the Dark ?* et *Where in the World is Carmen Sandiego* ? Il est également l'auteur de nombreux romans de science-fiction, d'épouvante et à suspense, très appréciés par le public.

M. Peel habite les confins extérieurs du Diadème, sur une planète appelée communément « Terre ».

LE LIVRE DES NOMS

John Peel

Traduit de l'américain
par Magda Samek

Éditeur : François Doucet
Traduction : Magda Samek
Révision linguistique : Nicole Demers et André St-Hilaire
Révision : Nancy Coulombe
Graphisme : Sébastien Rougeau
Illustration de la couverture : ©2004 Bleu Turrell/Artworks
Illustrations intérieures reproduites avec l'autorisation de Scholastic, Inc.
ISBN 2-89565-428-X
ISBN 13 : 978-2-89565-428-5
Première impression : 2006
Dépôt légal : 2006
Bibliothèque et Archives nationales du Québec
Bibliothèque Nationale du Canada

Éditions AdA Inc.
1385, boul. Lionel-Boulet
Varennes, Québec, Canada, J3X 1P7
Téléphone : 450-929-0296
Télécopieur : 450-929-0220
www.ada-inc.com
info@ada-inc.com

Diffusion

Canada :	Éditions AdA Inc.
France :	D.G. Diffusion Rue Max Planck, B. P. 734 31683 Labege Cedex Téléphone : 05.61.00.09.99
Suisse :	Transat - 23.42.77.40
Belgique :	D.G. Diffusion - 05.61.00.09.99

Imprimé au Canada

Participation de la SODEC.
Nous reconnaissons l'aide financière du gouvernement du Canada par l'entremise du Programme d'aide au développement de l'industrie de l'édition (PADIÉ) pour nos activités d'édition.
Gouvernement du Québec - Programme de crédit d'impôt pour l'édition de livres - Gestion SODEC.

Autres livres de la série Diadème
de John Peel

N° 2 Le livre des signes
N° 3 Le livre de la magie
N° 4 Le livre de Tonnerre
N° 5 Le livre de la Terre
N° 6 Le livre des cauchemars
N° 7 Le livre de la guerre
N° 8 Le livre des océans
N° 9 Le livre de la réalité

À mes neveux, Jonathan et Simon,
et à ma nièce et filleule, Alison

PROLOGUE

Les Ombres chassaient en meute, loin de leur territoire. Elles parcouraient les espaces qui séparaient les différents mondes, à la recherche d'une proie. Or, ce ne pouvait être n'importe quelle proie. Il fallait que ce soit la bonne victime.

Le sacrifice indiqué. Les Ombres goûtaient le plaisir de la chasse et, par anticipation, de la capture. Pour elles, ce n'était pas simplement une tâche. C'était leur divertissement. C'était leur plaisir. Elles aimaient repérer une cible et ressentaient une grande excitation à entraîner leur victime vers son sort.

Les semblants de visage des Ombres avaient l'air de se plisser de rire et de plaisir. À l'approche d'une petite planète vert et bleu, elles sentaient que c'était le bon endroit, qu'elles y trouveraient leur prochaine victime.

Ici, sur une petite planète arriérée et lointaine appelée « Terre ».

Ici vivait, pour le moment, la proie rêvée. Se glissant, invisibles et insoupçonnées dans l'atmosphère de la Terre, les Ombres commencèrent à se rapprocher de la cible choisie. Elles laissaient dans leur sillage de l'air froid, comme la traînée de condensation d'un avion à réaction, alors qu'elles descendaient en vrille vers la terre qui les attentait plus bas.

Tous leurs sens semblaient échauffés. Elles allaient à toute vitesse au-dessus de l'océan, ciblant une petite île, un endroit minuscule appelé Manhattan, perché sur un petit rocher au-dessus de la surface de l'océan Atlantique. C'est là qu'elles trouveraient la personne idéale. C'est là que les attendait le sacrifice.

Elles étaient prêtes et enthousiastes. Bientôt, très bientôt, elles pourraient capturer leur proie...

1

Score était effrayé. La peur était la seule émotion qu'il connaissait bien, l'ayant éprouvée pendant la majeure partie de sa courte vie. Il pensait qu'il était né comme ça, car il ne pouvait se rappeler une seule journée où il n'avait pas eu peur.

C'était surtout son père qu'il avait craint. Tony Caruso était un homme méchant et dur ; on prétendait même que quiconque s'était frotté à lui n'avait pas survécu pour s'en vanter. Son nom, même lorsqu'il n'était que chuchoté, faisait peur aux membres de bandes, aux truands et même aux policiers de la partie basse de Manhattan. Tony Caruso était un Méchant, au vrai sens du terme.

Toutefois, deux semaines auparavant, les choses avaient changé. Méchant Tony avait encore fait des frasques, mais cette fois-ci les policiers l'avaient emmené. D'habitude, il réussissait à soudoyer quelqu'un ou à échapper d'une façon quelconque à la police. Mais pas cette fois-ci. Il avait fait une erreur et la police avait pu recueillir des preuves indéniables contre lui. Score s'en fichait, pour autant qu'il garde son père loin de lui le plus longtemps possible.

Lorsque Score s'était retrouvé seul, il avait exploré chaque recoin du petit appartement. Il réussit à trouver un peu d'argent que Méchant Tony avait caché. Ensuite, derrière une planche lâche dans la chambre de Méchant Tony, il découvrit une lettre qui n'avait jamais été expédiée. Son nom et son adresse étaient inscrits sur l'enveloppe. Perplexe, il la regarda fixement. L'écriture lui semblait familière, mais ce n'était pas celle de son père…

C'était celle de sa mère ! Elle était morte il y a trois ans, mais Score s'en souvenait bien. Elle comptait parmi les victimes de Méchant Tony, une autre raison qu'il avait de détester son père. Dans un état de grande excitation,

Score ouvrit l'enveloppe et sortit la feuille qu'elle contenait. Il la déplia et commença à lire.

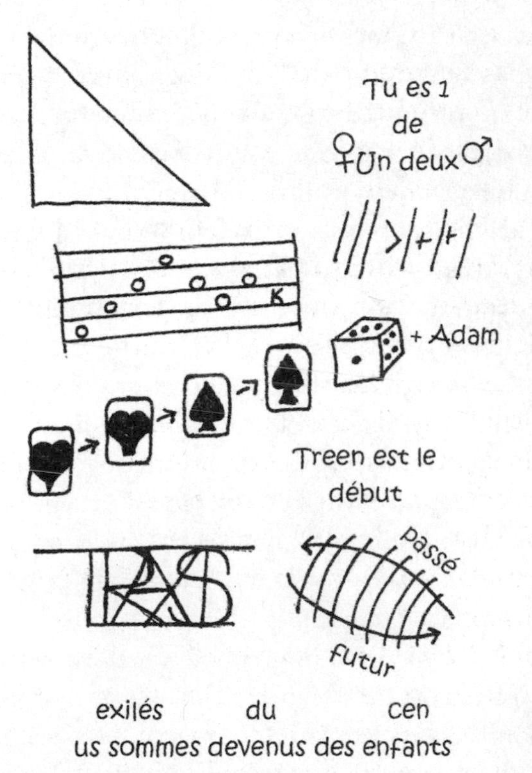

Les mots n'avaient pas de sens. Certaines parties semblaient en avoir, mais en fait n'en avaient pas. « Treen est le début », par exemple. Qui ou qu'était Treen ? Et c'était le début de quoi ? Score n'y comprenait rien. Pourquoi sa mère voulait-elle qu'il ait ce message, un message auquel il ne comprenait rien ? Elle avait dû le cacher pour qu'il le découvre un jour. Si elle avait jugé qu'il était important, peut-être Score réussirait-il à le déchiffrer un jour. Il replia la feuille avec soin et la glissa dans le portefeuille avec l'argent qu'il avait trouvé. Cet argent lui permettrait de commencer une vie nouvelle, une vie meilleure…

Mais la police vint le chercher lui aussi.

Il n'était pas en état d'arrestation. En tout cas, ce n'était pas l'expression que les policiers avaient utilisée. Ils l'avaient emmené devant le juge, qui l'avait placé sous la garde des services à l'enfance. Ce n'était pas une arrestation parce qu'ils prétendaient tout faire pour son bien, y compris l'enfermer lorsqu'il avait essayé de s'enfuir. Mais, cette fois-ci, il avait réussi à le faire.

Il était maintenant de retour dans le territoire qu'il connaissait bien, le quartier de

Bowery à New York. Score avait peur ici aussi, mais au moins il connaissait les rues et leurs dangers. Il lui fallait prendre garde aux bandes et aux gens qui pourraient lui en vouloir à cause de ce qu'avait fait son père. Cependant, il avait au moins une chance de s'en tirer puisqu'il était en territoire de connaissance.

Il y avait autre chose qui lui faisait peur, une chose sur laquelle il n'exerçait aucun contrôle. Depuis une semaine, il faisait le même rêve. Il était troublé et inquiet car il n'y comprenait rien. Dans le rêve, il entendait le même air maintes fois. Ce n'était pas un air connu ni un air qu'il aurait choisi d'écouter. La musique était lente et quelque peu mélancolique. C'était le genre de morceau qu'on entendait à des funérailles, comme la pièce qui avait été jouée à l'enterrement de sa mère. Il ne pouvait s'empêcher d'y penser.

Le rêve se terminait toujours par un éclair vert, à impulsions légères, l'attirant vers lui. La lumière ressemblait à une promesse, à un phare. Score tendait toujours les bras vers elle, pensant qu'elle le rendrait riche et heureux pour le reste de ses jours. Or, dès qu'il la touchait, il ressentait un choc soudain. Il se réveillait alors, tremblant et en sueur.

Pourquoi faisait-il continuellement ce rêve ? Était-il malade ? Ou peut-être s'agissait-il d'un avertissement ? Il ne croyait pas que les rêves puissent être prémonitoires, mais il était quelque peu inquiet. Après tout, il s'agissait peut-être d'une mise en garde. Mais contre quoi ?

Son estomac criait famine, ce qui lui rappela qu'il avait besoin de manger. Il ne lui restait que quelques dollars de l'argent qu'il avait réussi à rassembler à grand-peine. Pour survivre, il lui en faudrait beaucoup plus, et il le savait Il était futile de retourner à l'appartement miteux où il avait habité jusqu'à il y a deux semaines. L'endroit lui rappelait trop de mauvais souvenirs. De nouveaux locataires habitaient probablement le logement et, de toute façon, ce serait la première place où la police le chercherait. Il n'avait plus de foyer.

Il avait besoin d'argent et une seule possibilité d'en trouver s'ouvrait à lui. Score excellait dans l'art d'escroquer les arnaqueurs. Ces derniers établissaient leur quartier général dans la rue, essayant de soutirer de l'argent aux touristes. Le bonneteau était le jeu préféré de Score. L'arnaqueur aurait trois cartes, face en dessous, dont l'une était immanquablement la dame de pique. Pour gagner de l'argent, le touriste devait deviner où se cachait la dame de pique. Il ne réussissait presque jamais parce l'arnaqueur subtilisait habituellement la carte et la remplaçait par une autre. Cependant, Score savait comment contourner le problème. Il réussissait toujours à choisir la bonne carte. Il arrivait ainsi à gagner de l'argent, mais il devait faire attention à ne jamais s'en prendre deux fois au même bonneteur.

C'était son jour de chance. Il repéra un bonneteur installé à l'entrée du quartier chinois, occupé à sourire, à plaisanter et à sortir son boniment tout en mélangeant les cartes sur une petite table.

– Venez, Mesdames et Messieurs, disait-il aux touristes de passage, c'est facile. Trouvez la dame et je vous donne vingt dollars. Cinq dollars pour essayer. Vous êtes capable...

– Je suis capable, dit Score en sortant avec assurance son dernier billet de cinq et en le plaçant sur la table.

– C'est bien ! s'exclama le bonneteur, s'imaginant qu'il avait affaire à une poire.

— Voilà, jeune homme. Surveille les cartes attentivement.

Score n'avait pas besoin de le faire. Il n'avait pas à essayer de suivre ces doigts agiles pendant qu'ils mélangeaient les trois cartes. Un couple de touristes curieux s'arrêta pour regarder la scène, lui souriant derrière l'objectif de leur appareil photo.

— Et maintenant, où se trouve la dame de pique ? demanda le bonneteur en souriant. Tout le monde observait pendant que Score réfléchissait.

C'était surtout pour le spectacle. Score savait où était la carte. Pourquoi ? Il n'aurait pu l'expliquer ; il le savait tout simplement.

— Celle-là, dit-il, voyant l'éclair momentané de triomphe dans les yeux de son adversaire, persuadé que Score s'était trompé.

Score retourna la carte ; c'était bel et bien la dame de pique. Le sourire du bonneteur s'évanouit.

— Voyons ?

— Vingt dollars, demanda Score, en tendant la carte au tricheur, très surpris.

On aurait dit que l'arnaqueur allait se plaindre, mais les touristes riaient et encourageaient Score. Le bonneteur ne pouvait pas se permettre de s'aliéner des victimes potentielles.

— Bravo, mon gars, dit-il, essayant de faire bonne figure.

Il prit un billet de la liasse qu'il avait dans sa poche et le remit à Score. Il ne comprenait toujours pas comment ce dernier avait réussi.

— Veux-tu essayer une autre fois, quitte ou double ?

— D'accord, lui répondit Score.

La foule grossissante riait et l'encourageait.

Les mains du bonneteur volaient comme l'éclair cette fois-ci, mais pas assez vite pour mêler Score.

— Celle-là, dit Score avec confiance.

Il tendit la main vers la carte qu'il avait indiquée, mais le bonneteur fut plus rapide cette fois-ci et, avec un grand sourire, il retourna la carte qu'il savait ne pouvoir être la... dame de pique !

La foule, qui avait retenu jusque-là son souffle, commença à applaudir. Le bonneteur avait l'air abasourdi et sur le point de tuer. Cependant, comme tout le monde le regardait, il n'avait pas le choix. Il prit un autre billet et le remit à son client.

— Encore ? lui demanda Score d'un ton moqueur.

L'homme aurait voulu refuser. Il ne comprenait pas ce qui se passait, pas plus que la foule d'ailleurs, qui était maintenant composée d'une vingtaine de personnes. Les gens appuyaient le défavorisé, le gamin qui gagnait à ce jeu. Et si le bonneteur refusait, il ne lui resterait plus qu'à plier bagage et à rentrer chez lui. Il ne réussirait plus à soutirer de l'argent. Or, s'il acceptait et que Score réussisse l'impossible et gagne à nouveau...

— Comment fais-tu pour deviner ? lui demanda-t-il, essayant de gagner du temps.

— C'est de la chance ? répondit Score.

Il entendit derrière son épaule une voix douce et amusée.

Ce n'est pas la chance, mon ami,
mais l'habileté
Qui, à la fin, fait gagner.

— Quoi ?

Score se retourna pour voir qui lui parlait ainsi en vers. Il écarquilla les yeux à la vue d'un grand homme vêtu de noir : chemise, pantalon et bottes. Le type avait les cheveux noirs et sa peau pâle semblait… scintiller.

— Qui êtes-vous ? lui demanda Score.

L'homme avait un air extravagant ; pourtant, Score y reconnut quelque chose de familier. C'était comme s'il avait déjà vu cette personne. Peut-être était-ce un « partenaire » de Méchant Tony.

S'il te plaît, appelle-moi LeCora
Et je t'expliquerai l'habileté que tu auras.

L'homme mystérieux s'approcha de la table où étaient les cartes du bonneteur. Il se retourna pour dévisager Score.

Il y a une chose que je dois révéler :
Le don que tu as ne peut être nié.
La reine noire va où tu choisis.
Tu ne perds jamais avec la magie.

En parlant, il retourna toutes les cartes placées sur la table. Les trois étaient des dames de pique.

Tous ceux qui observaient la scène n'y comprenaient rien, et encore moins Score. Comment cela se pouvait-il ? L'homme n'avait pris qu'une carte... LeCora décela l'étonnement de Score et expliqua encore une fois au garçon :

De changer les choses un petit peu, le pouvoir
Pour le restant de tes jours, tu pourras avoir.

Score commençait à comprendre, en dépit de la façon détournée que l'homme avait d'expliquer les choses. Il n'avait pas le pouvoir de choisir la carte ; il avait la capacité de transformer n'importe quelle carte qu'il choisissait en dame de pique.

— Eh, gronda le bonneteur, tu m'as volé, gamin !

Il tenta de se lancer sur Score pour lui reprendre l'argent. Cependant, Score serrait dans sa main les quarante-cinq dollars ; il se fraya un chemin à travers la foule et prit la fuite. Le bonneteur, dans une colère noire, essaya de le suivre. Or, il était plus gros et la foule refusa de s'écarter de son chemin.

Une fois que Score fut sûr d'avoir échappé au bonneteur, il ralentit puis s'arrêta, haletant, dans une rue secondaire. Il l'avait échappé belle, mais il était libre de nouveau et il avait maintenant de l'argent en poche !

Score ne comprenait toujours pas ce qui était arrivé : l'apparition de l'homme qui dégageait une lueur tremblotante, cette histoire avec les cartes...

L'étranger avait-il raison ? Score était-il capable de changer de petites choses ? Il ne le savait pas, mais il allait facilement le découvrir. Il fouilla dans sa poche et empoigna le billet de cinq dollars. S'il était capable de changer un as en dame de pique, ce serait tout aussi facile. Ne sachant pas très bien ce qu'il devait faire, il se contenta de fermer les yeux et de se concentrer. Il retira ensuite le billet de cinq dollars de sa poche. Il le froissa avant de le regarder.

Il avait en face de lui le visage de Ben Franklin... *C'était vrai !* Score ressentait de l'excitation, de la confusion et un peu de peur. Il avait réussi à transformer un billet de cinq dollars en un billet de cent, uniquement en y pensant. Il n'avait pas la moindre idée de la façon dont il y était parvenu. Mais il l'avait fait une fois et il pourrait le refaire, et ce, quand il le voudrait.

Score était enfin gagnant...

Ce qu'il ne savait pas, c'est que les Ombres planaient au-dessus de lui. Elles avaient trouvé leur victime, prête, en attente et toute seule.

Elles se mirent à rire et plongèrent vers la terre, à la recherche de corps hôtes. Loin du centre à ce stade, elles étaient invisibles. Il leur fallait d'autres gens pour faire leur besogne. Cependant, ce n'était pas vraiment un problème. Tout avait été planifié, après tout… Au pâté de maisons suivant, une bande de voyous se montraient leurs couteaux. Il ne fallut aux Ombres que quelques secondes pour se glisser dans leur corps et leur esprit. Elles avisèrent ensuite leurs hôtes involontaires de la présence d'un petit garçon chétif ayant de l'argent et se trouvant à un pâté de maisons.

La bande se mit en marche sans piper.

Score souriait en son for intérieur à mesure qu'il changeait les billets de vingt en billets de cent. Un salaire très acceptable pour dix secondes de travail. Cinq dollars étaient devenus trois cents ! Il n'avait plus besoin d'être chiche, de mendier ou de voler. Seulement…

Il se rendit soudain compte qu'il n'était pas seul. Il se trouvait dans une rue étroite, bordée de gratte-ciel des deux côtés. Des poubelles, des sacs à ordures à moitié ouverts et des boîtes abandonnées jonchaient le sol. À l'autre bout de la rue, un groupe de sept jeunes apparut soudain. Score vit briller quelque chose d'argenté, manifestement des couteaux, et il comprit qu'il était dans le pétrin. Les garçons faisaient partie des Zaps, l'une des bandes les plus dangereuses du secteur. Score n'appartenait à aucune bande. D'une part, il était trop jeune. D'autre part, les gangs lui faisaient peur. Or, le fait de faire cavalier seul vous transformait en une proie rêvée si un gang vous attrapait sur son territoire.

Et c'était maintenant le cas avec les Zaps.

— Oh, Salut ! osa faiblement Score.

Les membres de la bande ne lui répondirent pas, se contentant d'avancer lentement et résolument vers lui. Leurs yeux n'étaient pas normaux. Ils étaient entièrement noirs, comme si quelqu'un y avait versé de la peinture. Et leurs visages étaient dénués d'expression, ce qui les rendait encore plus terrifiants. D'ordinaire, les malotrus auraient rigolé et se seraient moqués de leur victime avant de l'attaquer.

Ils voleraient ce qui en valait la peine, ses trois cents dollars ! pensa Score. Ensuite, ils le tabasseraient un peu.

Or, ce n'est pas ce qu'exprimaient leurs visages, et leurs armes étaient trop prêtes pour ça. Ces voyous ne comptaient pas le voler. Ils voulaient le tuer.

Score n'avait plus le choix. Il fit demi-tour et se mit à courir. Les membres de la bande se lancèrent à sa poursuite, dans un silence intense.

La petite rue mena à une autre, que Score dévala à toute vitesse. Il n'y avait personne aux alentours pour l'aider, hormis quelques paumés en train de boire à partir de bouteilles cachées dans des sacs de papier, oublieux du monde dans leur intoxication volontaire. Dans un état de panique, les jambes fatiguées et les poumons en feu, au coin suivant, Score bifurqua vers une autre rue. Les pas de la bande se rapprochaient.

Le jeune garçon savait qu'il était dans de beaux draps.

La rue était bloquée par des barbelés derrière lesquels se trouvait la rivière de l'Est. Il n'y avait pas d'autre issue, aucun endroit où se cacher. Score était pris au piège. Il était dans un cul-de-sac.

Il se retourna ; la bande était là. Leurs armes fin prêtes, les gars avançaient lentement en sa direction.

Maintenant ! C'était le moment. Les Ombres pouvaient sentir la flambée d'énergie. Elles pouvaient presque goûter à la délicieuse peur qui irradiait de leur cible, alors que les corps hôtes s'en rapprochaient.

Un événement inattendu se produisit.

Score pivota sur lui-même au son de l'explosion qui s'était fait entendre juste derrière lui, derrière la barricade de la rivière de l'Est. Il resta bouche bée à la vue de ce qu'il aperçut. Il était incapable de bouger, abasourdi par la forme qui sortit de l'eau. Il s'élança dans les airs, par-dessus la barrière de trois mètres, sans effort. Même trempé par le grand éclaboussement, Score resta immobile. Incapable de réagir, il regardait fixement.

C'était une orque. L'épaulard faisait peut-être six mètres. Il était d'un noir tacheté de blanc et son bas-ventre était blanc.

Mais que faisait une orque dans la rivière de l'Est ? Où plutôt pourquoi en avait-il bondi ?

La bête énorme ouvrit ses grandes mandibules en descendant vers le sol.

Or, les choses devinrent encore plus étranges. La bête commença à rapetisser, et des jambes et des bras lui apparurent. Au moment où l'orque allait toucher terre, elle se métamorphosa en une forme humaine grossière, atterrissant sur deux jambes musclées. L'homme – si c'en était vraiment un –, qui faisait plus de deux mètres, avait l'air fort et extrêmement dangereux. Il était toujours noir, avec un ventre blanc et des taches.

— Arrière ! cria la créature aux membres de la bande, qui avaient observé la scène, muets de stupeur. Elle se tourna ensuite vers Score et lui fit signe.

— Rapproche-toi de moi si tu veux avoir la vie sauve !

Score, qui avait peur de ce grand bonhomme, était encore tout secoué et confus par ce qu'il avait vu. Cependant, n'étant pas stupide, il comprenait que sa seule chance de s'en tirer était d'obéir à la créature. Il courut donc se cacher derrière celle-ci.

Il était temps. Les Ombres quittèrent en même temps les corps hôtes, permettant aux membres de la bande de faire ce qu'ils voulaient. Planant au-dessus d'eux, les Ombres observaient la suite des événements…

Les membres de la bande donnaient l'impression de se réveiller d'un cauchemar. Ils semblèrent renaître, alors que leurs yeux redevenaient normaux. Ils fixèrent avec horreur la bête qui défendait Score. On aurait dit qu'ils n'avaient jamais vu l'étrange créature et qu'ils ne savaient pas ce qui se passait.

– Arrière ! leur ordonna l'étranger. Ce garçon est sous ma protection.

– Oui ? murmura Score, toujours incertain s'il lui fallait faire confiance à l'étranger, et qui êtes-vous au juste ?

– Je suis S'hee, répondit la créature comme si c'était suffisant.

Ce ne l'était pas, du moins pas pour les membres de la bande. En dépit de leur état de choc, ils se mirent à crier et, tous ensemble, essayèrent de sauter sur la créature.

Comme l'éclair, S'hee les attaqua, leur donnant des coups de pied et de poing avec une force et une adresse incroyables. Score n'arrivait même pas à discerner ce qui se passait, car S'hee se déplaçait trop rapidement. Il vit cependant l'un des membres de la bande s'écrouler, le bras manifestement cassé, son couteau poussé loin de lui.

Après l'échec de leur première attaque, les durs à cuire se retirèrent. Un membre était à terre, gémissant, le bras cassé. Deux autres avaient de longues coupures sur les parties exposées de leur peau et un autre, manifestement souffrant, se tenait le bras gauche. S'hee s'était bien débrouillé jusqu'à présent, mais il n'avait pas d'arme et tous les membres de la bande possédaient un couteau.

C'est alors que l'un d'entre eux sortit un grand pistolet argenté.

— Partons, cria S'hee.

De son bras gauche, il souleva Score sans effort. De son droit, il déchira les fils de fer, faisant un trou dans la clôture. Lorsque le coup de feu partit, Score sentit la première balle les frôler, lui et son sauveteur. S'hee, qui avait atteint la barrière, resta tendu une seconde avant de se lancer avec Score vers l'avant, vers la rivière de l'Est qui les attendait.

Les membres de la bande se précipitèrent vers l'avant, furieux à l'idée que leur proie leur échappait. Deux d'entre eux réussirent à escalader la barrière et à fixer la rivière. Sur leur visage se lisaient confusion et choc.

Lorsque leurs cibles avaient plongé dans l'eau, il n'y avait pas eu d'éclaboussement.

L'eau, qui était calme, clapotait doucement contre les rochers. Et il n'y avait nulle trace de quelqu'un qui se serait jeté à l'eau, aucune trace ni de la créature noir et blanc ni du garçon.

Ils avaient disparu, complètement et mystérieusement… mais comment ?

Et où ?

2

Les Ombres, satisfaites de ce qu'elles venaient d'accomplir, se parlaient à voix basse en quittant la Terre. Elles avaient pris une victime, comme prévu, et il était maintenant temps de partir à la recherche de leur deuxième cible. Elles s'introduirent par les barrières qui séparaient les mondes, arrivant cette fois-ci à un endroit qui semblait surtout constitué d'un groupement d'îles au sein de vastes et sombres océans. C'était le monde connu sous le nom d'Ordin. Invisibles, les Ombres traversèrent une fois de plus l'atmosphère, se dirigeant vers la plus grande des îles où vivait leur prochaine victime, qui était loin de se douter du sort qui l'attendait.

Hélaine Votrin était dans une colère noire. Elle regardait fixement devant elle, dans la salle de l'énorme château aux murs de pierres. L'espace d'un instant, elle fut incapable de parler, ce qui était rare chez elle. Son père, grand, musclé, à la barbe et aux yeux noirs, la dévisageait de son siège, sans se troubler. Il portait sa tenue officielle et non son armure de guerrier, même s'il était manifeste qu'il était engagé dans une lutte avec sa cadette.

— Vous plaisantez sûrement ! fut tout ce qu'Hélaine réussit à dire.

— Pas du tout, lui répondit le seigneur Votrin d'un ton brusque et maussade. C'est une question trop importante pour qu'on en plaisante. Et ce n'est pas un sujet dont je veux discuter avec toi.

— Mais…

Hélaine aimait son père ; or, en ce moment, elle aurait souhaité croiser l'épée avec lui.

— Je suis trop jeune pour me marier !

— Tu as douze ans, lui répliqua son père avec fermeté. J'aurais été en droit de te promettre en mariage à huit ans. Tu as amplement l'âge de te marier et j'ai décidé que tu épouserais Dathan Peverel. Comme je l'ai déjà dit, je ne veux plus en discuter.

— Vous voulez gâcher ma vie et vous ne voulez même pas en discuter ? insista Hélaine.

— Je ne gâche pas ta vie, lui répondit son père, en essayant de se maîtriser. Il va bien falloir que tu te maries tôt ou tard. J'ai simplement décidé que le moment idéal était venu. Le seigneur Peverel et moi sommes d'accord sur cette question. Il faudrait unir nos maisons, et un mariage entre son fils aîné et ma seule fille encore célibataire constitue le moyen idéal d'y parvenir.

— Mais ce n'est pas idéal pour moi, ragea Hélaine. Tout le monde sait que Dathan Peverel est un parfait imbécile et un dandy ! Ce n'est pas le genre d'homme que je voudrais épouser si je voulais me marier, ce qui n'est pas le cas.

C'en était trop pour son père. Il se leva, donna un coup de poing sur la table, fendant presque le bois.

— Assez, rugit-il. Tu feras ce que je dis. Tu épouseras le jeune Peverel. Si je l'ordonnais, tu devrais le prendre pour mari même s'il n'était qu'un simple d'esprit baveux. Tu n'as pas ton mot à dire.

— Vous vous conduiriez si mal envers moi ? lui demanda Hélaine, furieuse de se sentir au bord des larmes.

— J'agirai envers toi comme je l'entends, lui répondit son père d'un ton bourru.

Il prit ensuite une grande respiration et essaya de se montrer raisonnable.

— J'ai le droit de te marier à qui je veux, quand je veux. Je suis désolé que Peverel soit un cas navrant, mais on n'y peut rien. Nos deux familles ont besoin de cette alliance. Les seigneurs de la frontière sont de nouveau mécontents et leur insatisfaction pourrait mener à des escarmouches ou même à la guerre. Peverel et moi devons mettre nos ressources en commun pour empêcher que de telles choses se produisent ; ainsi, ce mariage scellera notre alliance.

Sa voix s'adoucit quelque peu.

— Regarde le bon côté des choses. Dathan te laissera faire ce que tu veux, de sorte qu'en un rien de temps tu le mèneras par le bout du nez et tu commanderas au château.

Hélaine ne se calma pas pour autant.

— Eh bien, bravo ! dit-elle d'un ton brusque. Le fait que je puisse régenter un imbécile de mari devrait me réconforter ?

— Tu suivras mes ordres, lui dit le seigneur Votrin avec froideur. Le mariage aura lieu demain après-midi. Les invités sont déjà en route, y compris un ou deux seigneurs de la frontière avec lesquels je veux m'entretenir. Va maintenant dans ta chambre et réfléchis à ce que je t'ai dit.

— Demain ? répéta Hélaine, atterrée. C'est impossible ! Je...

— Tu obéiras ! lui cria son père, à bout de patience. Maintenant, va dans ta chambre ou je demanderai à un de mes gardes de t'y emmener et de t'y enfermer !

Il était inutile d'argumenter davantage. Hélaine tourna le dos à son père et sortit de la salle d'audience. *Je ne pleurerai pas !* se dit-elle sévèrement. *Et je n'obéirai pas.*

Pour être en mesure de réfléchir clairement, Hélaine devait se calmer. Elle était toutefois résolue à n'épouser personne le lendemain, et encore moins Dathan Peverel !

Rendue dans sa chambre, elle délaça l'ample robe flottante qu'elle portait. Il lui répugnait d'avoir à porter cette chose encombrante. Cette tenue si dérangeante avait dû être conçue par un homme dans le seul but d'empêcher une femme de se mouvoir librement. Elle était censée être belle, mais Hélaine ne s'intéressait pas à ce genre de beauté. Une robe comme celle-ci équivalait à porter des chaînes. C'est le genre de tenue qu'elle acceptait de porter seulement quand elle y était obligée.

Elle sortit le petit coffre à vêtements qu'elle cachait sous son lit. Personne, pas même sa gouvernante préférée, Retlyn, n'y avait accès. Hélaine, qui y cachait son plus grand secret, osait le sortir uniquement lorsqu'elle était seule. Le coffre contenait un pantalon, des bottes de cuir souple, une tunique chaude en laine et un béret. La jeune fille s'habilla en vitesse et examina son reflet dans le miroir de métal poli qu'elle gardait sur sa coiffeuse.

Tout était parfait. Ses longs cheveux ramassés sous le béret épais et l'ample tunique cachant son torse, elle ressemblait à n'importe quel jeune du château, n'importe quel jeune de sexe *masculin*.

Une telle tenue était complètement interdite, bien entendu. La place des femmes — et surtout celle des jeunes filles — était strictement définie dans la société ordinoise. Les femmes étaient censées apprendre à coudre, quelquefois à lire, à cuisiner et à s'adonner à tout autre art « censément » féminin. Les garçons pouvaient par contre faire ce qu'ils voulaient. C'est vers l'âge de cinq ans qu'Hélaine avait commencé à se déguiser en garçon. Lorsqu'elle se rendit compte que personne ne reconnaissait le petit Renald dépenaillé comme étant la même personne que la quelque peu majestueuse et aristocrate Hélaine Votrin, elle ne voulut plus renoncer à se déguiser.

Elle n'avait confié son secret qu'à une seule personne, qui avait promis de ne jamais le divulguer. Cette personne était Borigen, le plus ancien et le plus fidèle soldat du seigneur Votrin. Lorsque Borigen avait découvert par hasard le secret d'Hélaine, il avait été scandalisé. Cependant, il aimait beaucoup la jeune enfant et cette dernière l'avait convaincu de jouer le jeu avec elle et de garder le secret.

Après avoir accepté à contrecœur, il a tenté de la faire changer d'avis. Il lui avait fait remarquer que tous les garçons du château devaient apprendre à se battre. Si « Renald » ne le faisait pas, les gens se poseraient des questions et elle serait découverte. Il avait espéré lui faire peur en lui disant de telles choses, mais sa tactique n'a pas fonctionné. Hélaine avait toujours cru en ses propres capacités.

— Très bien, lui avait-elle répondu, j'apprendrai moi aussi à me battre.

Borigen avait accepté avec beaucoup de réticence. Hélaine savait qu'il avait finalement baissé pavillon uniquement parce qu'il pensait qu'elle ne s'en tirerait pas. Après avoir reçu une raclée, pensait-il, elle se découragerait et abandonnerait.

Or, les choses s'étaient passées autrement. Et maintenant, sept ans plus tard, « Renald » sortit avec précaution de la chambre d'Hélaine et se dirigea vers la zone d'entraînement de la cour. La jeune femme s'arrêta à la porte d'entrée et salua l'un des gardes tout en attachant son épée d'entraînement.

Le garde lui sourit.

— Tu viens leur apprendre à se battre, n'est-ce pas ? lui dit-il en lui faisant un clin d'œil. Ne sois pas trop dur envers eux.

— Je vais essayer, répondit Renald, mais je suis de mauvaise humeur et j'ai besoin de me défouler.

— Eh ! marmonna le garde, les yeux pétillants d'anticipation. On dirait que quelqu'un va recevoir un grand coup sur la tête.

— Et ce ne sera pas moi, lui répondit Renald avec assurance.

— Je n'en doute pas, fit le garde en secouant la tête, mais ne sois pas trop dur quand même. Tu n'as pas vraiment besoin de les tuer.

— Probablement pas, convint Renald.

Il sortit et se dirigea vers les rangs d'exercice. Plusieurs jeunes hommes se pratiquaient. Borigen était dans un coin, en train de montrer à deux jeunes garçons comment se battre avec des épées émoussées. Les yeux de Renald firent le tour des rangs avant de se fixer sur Mardren. Parfait ! C'était un pauvre type pontifiant qui avait besoin qu'on lui rabatte quelque peu le caquet.

Mardren, le fils du conseiller du seigneur Votrin, se croyait supérieur aux autres garçons, surtout à Renald. Borigen avait expliqué que Renald était le fils d'un cousin, ce qui plaçait « le jeune garçon » au bas de l'ordre hiérarchique. En tant que Renald, Hélaine avait été un peu rudoyée au début, ce qui a cessé lorsqu'elle a montré à tous la sottise de cette approche. Maintenant, tous se méfiaient d'elle, c'est-à-dire de Renald, tous sauf Mardren, qui ne semblait jamais apprendre sa leçon.

Voyant Renald approcher, il lui dit en ricanant :

— Veux-tu te faire battre aujourd'hui ?

— Penses-tu en être capable ? lui demanda Renald avec calme. Alors, essayons.

Avec un sourire méprisant, Mardren leva son épée d'entraînement et se précipita vers sa cible. Les épées n'avaient pas de pointe et leur fil était délibérément émoussé pour éviter toute blessure grave. Cependant, elles pouvaient laisser des meurtrissures lorsque les coups descendaient avec une force suffisante. Les jeunes devaient apprendre le maniement de vraies épées, sans tuer. Or, l'objectif était de faire mal. Borigen jugeait que les ecchymoses étaient un excellent incitatif pour faire des garçons (et d'Hélaine) de meilleurs guerriers.

Renald fit un bond sur le côté pour éviter le coup d'estoc, saisissant brusquement son épée en réponse et cognant le flanc de Mardren avec une aisance désinvolte. Mardren était plein d'arrogance, mais il se montrait peu habile. Dans le passé, Renald l'avait généralement ménagé, ne souhaitant pas s'en faire un ennemi. Or, aujourd'hui, elle ne s'en souciait pas. Alors que Mardren avait un peu perdu l'équilibre en se lançant sur elle, elle le frappa fort sur le bras gauche avec sa propre épée en pivotant.

Mardren grimaça de douleur, mais il était trop fier pour avouer qu'il avait mal. Il s'attaqua de nouveau à Renald, cette fois-ci avec fureur. Cependant, sa colère ne pouvait rivaliser avec celle ressentie par la jeune fille, qui rendit les coups. Il ne réussit pas à la toucher, ne fût-ce qu'une fois, avec sa lame tandis qu'elle parvint, sans effort, à lui donner trois coups successifs. Tout le monde savait que Renald était le meilleur épéiste du groupe et que Mardren allait essuyer une défaite cuisante dont sa chair se souviendrait pendant des jours. Renald s'en fichait. Elle lui asséna un autre coup avec son épée, cette fois-ci sur la cuisse gauche. Elle choisissait les endroits qui lui feraient mal, et ce, pour l'inciter à continuer à se battre.

Borigen s'avançait, manifestement conscient de ce qui se passait. Renald se gardait bien de détourner son regard de Mardren pour regarder son entraîneur, mais elle savait pertinemment que Borigen allait essayer d'arrêter le combat, qu'il avait manifestement compris ce qu'elle faisait.

— Non, dit une voix bien connue, pleine d'autorité. Laissez-les se battre. Dans un vrai combat, on n'interrompt pas l'adversaire.

C'était le père d'Hélaine ! Il était probablement venu observer l'entraînement. La jeune fille jeta un rapide coup d'œil et vit son père, qui se tenait debout à l'entrée, les bras croisés sur la poitrine, en train d'observer les combattants. Au même moment, elle aperçut la lame de Mardren qui lui visait le visage et eut à peine le temps d'éviter le coup.

C'était un coup bas, bien que permis puisque, pour gagner, tout est admis. On avait toutefois mis les étudiants en garde de ne pas viser le visage. Même avec une épée d'entraînement, il était possible de rendre quelqu'un aveugle par accident. Mardren voulait manifestement faire mal à son adversaire au lieu de gagner de façon loyale, une chose qui, comme il l'avait probablement deviné, lui serait impossible.

Renald était de plus en plus en colère et elle cessa de se maîtriser. Elle pivota sur elle-même, évitant la prochaine attaque, et asséna à Mardren un coup au ventre qui le laissa pantelant. Ensuite, elle lui administra un coup sur le bras qui tenait l'épée alors qu'il hésitait, et un autre sur le côté du cou. Ce dernier coup lui laisserait une ecchymose visible pendant une semaine, un rappel à tous de l'outrage qu'il avait subi. Ensuite, Renald pivota et le toucha au cœur. Si les épées avaient été réelles, Mardren serait mort et tout le monde le savait. Le bruit lourd et sourd de la lame contre sa poitrine signifiait qu'il aurait mal à chaque respiration.

— C'est fini, déclara Borigen sur un ton impassible, sans même regarder le seigneur qui observait la scène.

Renald approuva d'un signe de la tête et laissa tomber par terre son épée d'entraînement. Elle commençait à se retourner quand Mardren, en poussant un rugissement, s'élança vers elle, épée levée, lui visant de nouveau le visage. Renald fit un saut sur le côté, et lui saisit le poignet des deux mains alors qu'il ratait la cible. Puis, avec un mélange de colère et de jubilation, elle pivota sur elle-même et se servit de sa poigne pour le soulever par-dessus son épaule et le jeter par terre. Ce faisant, elle vit le poignet de son adversaire se tordre brutalement. Mardren laissa échapper un petit cri aigu de douleur en touchant le sol.

— Beau travail, reconnut Borigen malgré sa colère. Il est malheureux que son poignet soit cassé. Il sera inutile pendant quelques semaines.

— Il l'a été toute sa vie, murmura Renald, sans regretter son action.

Son père continuait à la fixer avec une expression qu'elle ne lui avait jamais vue. Pendant une seconde, elle paniqua à l'idée qu'il l'avait reconnue en dépit de son déguisement, mais il lui posa la main sur l'épaule et elle y vit un signe d'approbation.

— Beau travail, mon garçon, la félicita le seigneur Votrin. Tu manies l'épée avec beaucoup de dextérité et tu possèdes aussi d'autres habiletés. Un jour, tu feras un excellent combattant.

Non pas un combattant sera,
Mais guerrier, de trois le meilleur sera.

Une voix inconnue avait prononcé ces mots derrière eux. Renald se retourna et fixa un homme qu'elle n'avait jamais vu auparavant. Vêtu de noir, le type avait des cheveux noirs et une peau blanche. Son visage lui disait quelque chose, mais elle n'arrivait pas à le replacer.

— Qui êtes-vous, demanda le seigneur Votrin à l'étranger.

Appelez-moi Cleora, mon seigneur,
Je suis venu admirer la splendide épée
de cette jeune fleur.

Le seigneur Votrin était manifestement déconcerté.

— De quoi parlez-vous ? demanda-t-il. Qui est cette jeune fleur ?

L'étranger se pencha vers l'avant et signala Renald de la main.

La manœuvre de l'adversaire, Renald peut prévoir.
Améliorer son habileté lui permet ce pouvoir,
Mais ce Renald est déguisé.
Maintenant, de vos yeux, voyez la vérité.

Ce jeune Renald que vous ne pouvez pas expliquer est votre fille, la belle Hélaine ; cessez de chercher.

Renald regarda l'étranger avec mépris, car il venait de la trahir. Elle se tourna pour courir, mais la main vigoureuse de son père l'attrapa par le bras et la maintint solidement. Le seigneur Votrin lança un regard furieux à Renald, puis à Cleora.

— Je ne sais pas qui vous êtes, mais nous découvrirons bientôt si vos mots étranges cachent la vérité.

De sa main libre, il arracha le béret de Renald et les longs cheveux d'Hélaine flottèrent sur ses épaules tremblantes.

Le seigneur Votrin blêmit, puis devint écarlate lorsqu'il comprit qui il tenait par la main.

— Hélaine ! dit-il, le souffle coupé, à la fois stupéfait et furieux.

— Père, reconnut-elle, après avoir relevé la tête avec fierté et regardé le seigneur droit dans les yeux, je suis la meilleure épéiste ici.

— Assez ! lui cria-t-il, tremblant de colère, ne m'as-tu pas assez couvert de honte comme ça ?

— Il y a un moment, vous me louiez, lui rappela-t-elle.

— Je ne savais pas alors qui tu étais, répliqua-t-il, l'air sombre. Maintenant, je le sais. Va dans ta chambre et restes-y avant que je n'ordonne qu'on t'y enferme.

— D'accord, acquiesça-t-elle.

Elle se pencha pour ramasser son béret et se dégagea de la main de son père. Sans dire mot, elle revint vers les rangs de ses compagnons de classe, lesquels étaient sous le choc. Ses anciens compagnons, en fait, a-t-elle pensé. Son père ne lui permettrait plus de continuer sa formation, même s'il ne lui restait que peu à apprendre.

En entrant dans sa chambre, Hélaine claqua la porte derrière elle et commença à enlever sa tunique. Elle ferait mieux de se débarrasser de ces fringues de toute façon. Elle n'aurait jamais la permission de les porter à nouveau. Ce sacré Cleora ! Il avait réussi à trahir le secret qu'elle gardait si précieusement.

Cependant, elle s'arrêta et remit sa tunique. Reporter une robe équivaudrait à admettre que son père avait gagné, ce qu'elle n'acceptait pas. Ce serait peut-être sa dernière attitude de défi, mais elle ne deviendrait jamais la fille docile qu'il voulait régenter. Que ça lui plaise ou non, elle était Renald, le meilleur épéiste du château. De plus, elle préférait mourir que d'épouser ce balourd de Dathan !

Ou encore s'enfuir…

L'idée germa brusquement dans son esprit et lui sembla très logique. Pourquoi rester ici et être échangée comme un sac de farine ou un pot à bière ? Elle pourrait quitter le château. Pour une fille seule, ce serait dangereux mais, sous le déguisement de Renald, elle serait en sécurité. En outre, avec ses habiletés, elle serait probablement acceptée comme soldat en formation dans un autre château.

Plus elle y pensait, plus elle trouvait que son plan était génial. Elle ne resterait plus ici. Le mieux serait de partir à la faveur de la nuit. Elle pourrait escalader le mur et s'enfuir avant que quelqu'un ne s'en rende compte.

Elle serait loin avant qu'on ne parte à sa recherche.

Elle n'osait pas voler un cheval, bien qu'elle fût assez bonne cavalière. Les pistes de la bête pourraient être trop rapidement suivies. À pied, ce serait plus difficile, mais plus sûr.

Elle aurait besoin d'une épée, mais s'en procurer une ne serait pas un problème. Elle repêcha sous le lit l'épée qu'elle avait réussi à convaincre Borigen de lui donner l'an passé. L'estoc était encore poli et aiguisé ; il n'y avait pas de problème de ce côté. Elle prit aussi son couteau, qu'elle glissa dans le haut de sa botte droite. Elle aurait besoin d'un arc et de flèches, qu'elle prendrait dans l'arsenal avant de partir. Il lui fallait aussi de la nourriture et une gourde remplie d'eau. Ensuite, il ne lui resterait qu'à attendre la tombée de la nuit.

Elle espérait de tout cœur que son père ne l'envoie pas chercher auparavant.

Tandis qu'Hélaine attendait, un certain nombre de questions lui traversaient l'esprit. Cleora en faisait partie. Pourquoi avait-il vu clair dans le déguisement qu'elle portait ? Et pourquoi l'avait-il trahie ? Et son commentaire au sujet de la capacité qu'elle avait à deviner les coups de l'adversaire ? Quelle baliverne ! Et pourtant... elle *avait* vu que Mardren voulait la blesser au visage. C'est pourquoi elle avait eu le temps de contrer l'attaque. Peut-être s'agissait-il d'un pouvoir dont elle ne s'était pas rendu compte auparavant...

Son esprit s'égara et elle se souvint d'une autre chose étrange qui s'était produite ces derniers jours. À plusieurs reprises, elle avait rêvé qu'elle se trouvait dans une bibliothèque quelconque. Elle y cherchait un livre qu'elle finissait par trouver et elle commençait à le lire. Le bouquin était rempli de symboles et de signes sibyllins. Entre les pages s'en dissimulait une autre, aplatie comme une feuille. La mystérieuse page était d'un bleu rutilant, éblouissant. Hélaine voulait plus que toute chose voir les mots qui y étaient inscrits. Malheureusement, chaque fois qu'elle tendait la main pour prendre la page, elle se réveillait.

Elle avait fait ce même rêve au cours des cinq nuits précédentes. Ordinairement, elle ne se souvenait que vaguement de ses rêves, mais celui-ci était aussi pénétrant que mystérieux. Elle n'arrêtait pas d'y penser, même lorsqu'elle aurait dû être en train de préparer sa fuite.

Finalement, la nuit descendit et elle était toujours seule. Elle se dit qu'on ne lui avait pas porté à manger car elle était punie, et elle s'en fichait. Elle ouvrit lentement la porte et s'assura qu'il n'y avait personne dans le couloir. Elle attacha son épée, cacha ses longs cheveux sous le béret et redevint Renald.

Alors qu'elle parcourait les couloirs éclairés aux flambeaux, elle craignait surtout que son père n'ait alerté les autres à son déguisement. Cependant, elle comptait sur le fait qu'il aurait trop honte d'elle pour ébruiter l'histoire et que personne ne voudrait raconter avoir été battu par une simple fille.

Son espoir fut comblé. En route vers l'arsenal, elle croisa quelques serviteurs et trois soldats, et aucun ne lui jeta même un regard. Lorsqu'elle atteignit sa destination, elle fut soulagée de voir que la porte était verrouillée et que personne ne montait la garde. En esquissant un sourire, elle sortit de sa botte gauche le double de la clé qu'elle avait « emprunté » de Borigen quelques semaines auparavant. Ce dernier lui avait toujours refusé la permission d'essayer des armes dangereuses comme les piques et les lances, et elle avait eu l'intention de le faire dès qu'elle en aurait l'occasion. Or, aujourd'hui, la clé volée lui serait d'un meilleur usage.

Se glissant dans l'arsenal, elle trouva un grand arc et un carquois rempli de flèches, qu'elle enfila en bandoulière. Elle prit ensuite une gourde d'eau et un petit sac de viande séchée. Elle en aurait suffisamment pour un voyage à pied d'une semaine. Elle se savait assez experte pour brouiller les pistes ; si elle réussissait à disparaître sept jours, on ne la retrouverait plus jamais. Et bon débarras pour les autres, sauf Borigen, bien sûr, qui était le seul ami qu'elle n'ait jamais eu.

Hélaine sortit furtivement de l'arsenal, en verrouilla la porte et jeta la clé dans l'une des crevasses du dallage. Il ne lui restait qu'à emprunter l'un des passages, escalader une fenêtre basse et se glisser dehors à l'aide de la corde qu'elle avait prise dans l'arsenal.

Personne ne pourrait la rattraper.

Les Ombres planaient avec impatience au-dessus du sombre château, savourant une autre victoire imminente. La jeune fille était en route vers son destin et, très bientôt, elles accompliraient la deuxième phase de leur mission.

Elles commencèrent leur descente, se dirigeant avec empressement vers un groupe d'hommes qui attendaient dans l'ombre des couloirs du château. Ils étaient six en tout, se faufilant avec précaution dans la noirceur. Ils étaient tous de forte carrure et armés, bien qu'aucun n'ait dégainé son arme.

— Je n'aime pas ça, murmura un des compères. Je sais que nous sommes ici pour empêcher le mariage — et l'alliance entre Votrin et Peverel. Cependant, je ne pense que ce soit le rôle d'un soldat de faire la guerre aux femmes.

— Silence ! siffla son compagnon le plus proche. Tu as reçu des ordres. Et nous ne faisons pas la guerre aux femmes. Nous voulons simplement capturer et enlever la fille du seigneur Votrin jusqu'à ce que ce dernier revienne à la raison. Tu sais très bien qu'en cas d'alliance entre Peverel et lui tous nos seigneurs devront se soumettre.

— C'est quand même une tâche indigne d'un soldat, grommela le premier, qui ne resta pas en arrière pour autant.

Les Ombres descendirent dans les couloirs du château et chacune s'empara de l'esprit d'un soldat. Elles ne prirent qu'un instant à se glisser dans l'esprit impressionnable de ces hommes et à suggérer quelques petits changements...

Les yeux maintenant noirs à cause des Ombres, les six hommes s'arrêtèrent, dégainèrent leur épée et changèrent quelque peu la direction dans laquelle ils se dirigeaient. Ils le firent tous ensemble comme s'ils ne formaient plus qu'un seul esprit.

Renald tourna dans le couloir, loin finalement des yeux inquisiteurs, et se hâta vers la fenêtre la plus proche. Elle pourrait accrocher la corde à un porte-flambeau en métal fixé au mur et l'utiliser pour glisser jusqu'en bas. Elle déroula la corde et s'apprêtait à l'attacher au poteau lorsqu'une sensation étrange la fit se retourner.

Dans le couloir, six hommes s'approchaient lentement d'elle, les épées dégainées et prêtes à être utilisées. Leur bouclier portait les armes d'un royaume ennemi. Leurs intentions ne faisaient aucun doute.

Renald lâcha la corde et dégaina, prête à riposter à l'attaque silencieuse. Elle fut heureuse de constater que l'étroitesse du couloir ne pouvait permettre la présence de plus de deux hommes côte à côte. Même alors, la proximité des murs gênerait leur capacité à brandir l'épée.

Elle, par contre, avait beaucoup de place.

Des émotions contradictoires faisaient rage dans son cœur. Sa gorge était glacée par la peur alors qu'elle observait les six assassins qui s'approchaient. Elle n'avait jamais dû se battre pour la vie auparavant. Jusqu'à présent, elle n'avait manié l'épée que durant l'exercice. Cependant, plus forte que la peur était l'excitation qu'elle ressentait à l'idée qu'elle était née pour se battre et non pour faire de la couture ou se marier. C'est ce sentiment qui faisait pétiller son sang.

Les deux premiers soldats l'attaquèrent, ne lui laissant plus le temps de penser.

Elle para une épée et esquiva la seconde. Elle n'avait pas le temps de passer à l'attaque car les deux hommes se déplaçaient avec aisance, comme si c'était une chose normale pour eux, ce qui était peut-être le cas. De toute façon, même si Renald se défendait de toute son énergie, elle était incapable d'attaquer à son tour.

Les quatre autres hommes ne participaient pas ; de leurs yeux noirs sans émotion ils se contentaient d'observer la scène en silence, prêts à intervenir si l'un des deux attaquants tombait. Renald commençait à s'inquiéter. Elle arrivait à tenir en échec ses attaquants, mais elle serait sûrement la première à se fatiguer. Et quand ça arriverait, ils la tueraient. Pendant un bref instant, elle envisagea d'appeler à l'aide, mais c'était futile. Elle avait délibérément choisi cet endroit parce que personne n'y venait. En outre, si quelqu'un l'entendait et venait à son aide, elle serait capturée par les hommes de son père et obligée d'accepter le mariage.

Il valait mieux mourir. Elle se battait donc elle aussi en silence, perdant progressivement du terrain parce que les hommes luttaient avec force. La sueur de son visage commençait à lui dégouliner dans le dos et elle pouvait sentir la fatigue de ses muscles. Bientôt, elle ferait une erreur et l'une des épées la transpercerait. Ce serait le début de la mort. Elle continuait cependant à se battre, refusant de s'avouer vaincue.

Tout à coup, elle entendit un son inconnu. C'était un faible grognement sauvage, trop fort cependant pour provenir de l'un des chats du château. Une ombre apparut derrière elle et, soudain, quelque chose sauta par-dessus sa tête et vers les deux premiers soldats.

Renald se jeta en arrière, mais la bête ne la visait pas. Alors que l'étrange créature lui sautait par-dessus la tête, Renald vit qu'il s'agissait d'un animal semblable à un léopard, à la fourrure orangée avec des taches foncées. Elle vit que la bête arborait des yeux brûlants ainsi que des crocs et des griffes de fer.

En s'abattant sur les deux soldats interloqués, l'animal changea d'apparence, se transformant de grand félin en une femme-chat. Cependant, la femme conserva sa fourrure et ses griffes, dont elle se servit pour déchiqueter les deux soldats tout en écartant leur épée.

Il y eut un jet de sang et finalement les deux hommes émirent un son, un cri sourd et terrifiant, en tombant à la renverse.

La femme-léopard se retourna vers Renald.

— Viens, siffla-t-elle, d'une voix suave et pressante, en montrant de dangereuses dents pointues. Il nous faut partir tout de suite !

— Qui..., commença à dire Renald, secouée et incertaine, qu'êtes-vous ?

— Je suis Rahn, répondit avec impatience la femme-léopard, et, si tu veux vivre, viens avec moi.

Les quatre autres soldats sautèrent pardessus le corps de leurs compagnons et Renald comprit l'insistance de l'ordre de Rahn. Avec un signe de tête, elle tourna les talons et suivit la créature.

Les quatre soldats se lancèrent à la poursuite de leurs deux cibles. Après un tournant dans le couloir, ils ne virent qu'un mur aveugle, sans autre issue. Perplexes, ils s'arrêtèrent et regardèrent fixement les épais murs de pierres. Qu'était-il arrivé à leurs victimes ?

Les Ombres, satisfaites de leur travail, se fondirent dans l'air au-dessus des hommes, complètement désorientés. Les quatre soldats encore en vie ne pouvaient comprendre pourquoi ils avaient essayé de tuer un jeune garçon, alors que leur mission était de kidnapper une jeune fille du château. De plus, ils se demandaient ce qui était arrivé à leur cible.

Les Ombres, elles, le savaient. Elles étaient pleinement conscientes de ce qui était arrivé à Renald.

La jeune fille était devenue leur deuxième victime, et il était temps pour elles de trouver leur troisième et dernière cible. C'était le moment de quitter ce monde et de se diriger vers Calomir. Il s'agissait d'un monde tout à fait différent où les gens vivaient dans des maisons qui servaient d'utérus, les nourrissant, s'occupant de leurs besoins et les amusant. Un monde où personne n'avait jamais à quitter sa maison et n'y penserait même pas.

Quelqu'un devrait cependant laisser sa demeure pour devenir leur dernière victime...

3

Pixel se languissait. L'ennui s'était emparé de lui au cours de la dernière année. Il savait bien qu'il aurait dû être heureux ou du moins satisfait. Tous les gens qu'il connaissait l'étaient. Là encore cependant, il ne pouvait être certain que ces gens-là étaient bien réels.

La réalité virtuelle lui posait un problème en ce sens qu'au bout d'un moment elle devenait la réalité tout court et qu'il lui devenait difficile de distinguer les deux.

– Comment peux-tu t'ennuyer ? lui avait demandé Digit. On peut faire n'importe quoi ici.

Ils se trouvaient debout sur le plancher d'une ancienne mer, en train d'observer un plésiosaure qui s'ébattait et chassait au-dessus d'eux. D'étranges poissons à armure nageaient autour d'eux.

— Oui ! avait ajouté Byte en plissant le nez. Si tu n'aimes pas cet endroit, nous pourrions aller ailleurs. Peut-être à la ceinture d'astéroïdes ?

— Ce n'est pas l'endroit, leur avait dit Pixel.

Digit était son meilleur ami, et Byte sa meilleure copine.

— Tout m'ennuie. Je ne sais même pas si vous existez réellement.

— La belle affaire ! fit Byte en haussant les épaules. Nous ne savons pas plus si tu existes réellement. Qu'est-ce que ça peut bien faire si nous nous amusons ?

— Il ne suffit pas de s'amuser, avait répondu Pixel.

Il avait montré de la main tout ce qui les entourait sur le plancher océanique, regardant les limules qui fuyaient.

— Tout ceci n'existe pas. En fait, cela n'a peut-être jamais existé. C'est juste une production par ordinateur.

— Oui, mais c'est une production géniale, lui avait répondu Digit. Qu'est-ce qui te prend, Pixel ? D'habitude, on s'amuse bien avec toi.

— Je n'en sais trop rien, avait-il avoué. C'est juste que tout ça me semble maintenant insuffisant.

Il avait essayé de leur expliquer ce qu'il ressentait.

— Depuis quelque temps, je fais des cauchemars, avait-il fini par dire.

— Ça passera, l'avait rassuré Byte. Ne t'inquiète pas.

— Je fais toujours le même rêve, avait-il continué. Je me trouve dans un endroit étrange baigné d'une lumière rouge tremblotante. Je vois des pierres de couleur suspendues dans une sphère. Je vois ce portrait, qui luit. C'est celui d'une dame, ça je le sais. Malheureusement, chaque fois que je m'en approche pour le voir de plus près, je me réveille.

— Mais c'est super, s'est exclamée Byte. Nous pourrions peut-être demander à l'ordinateur de nous créer un monde semblable pour y jouer.

— Ce n'est pas un endroit inventé, avait répondu Pixel avec obstination. J'ai l'impression qu'il s'agit d'un monde réel, d'une chose importante.

— Comment cela serait-il possible ? lui avait demandé Digit. Ce n'est qu'un rêve stupide.

— À bien y penser, le monde que je vois dans mon rêve n'est pas réel, tout comme cet endroit d'ailleurs, avait répondu Pixel d'une voix qui traduisait sa colère.

— Je ne voudrais pas qu'il le soit, avait rétorqué Byte en frémissant. Si nous étions vraiment ici, nous nous ferions tuer. C'est pourquoi c'est bien mieux comme ça.

— Non, avait répliqué Pixel. Ça ne l'est pas. C'est juste un moyen d'évasion. Et je ne pense pas vouloir m'évader en ce moment.

D'un geste de la main droite, il avait appelé la commande de séquences. Juste au-dessus de sa tête, la barre de menu était apparue. Il avait cogné sur le signe « Sortie » et tout était devenu noir. Un dernier message avait pris place : « Fermeture de session de l'utilisateur Pixel… Fermeture du compte de Shalar Domain. »

Shalar Domain, de son vrai nom, avait choisi le surnom de Pixel comme pseudonyme en ligne. Il avait presque oublié le nom qui lui avait été donné à la naissance.

Il regagna sa chambre. En se débarrassant de son casque, il se sentit très mécontent sans trop savoir pourquoi. Si ses amis se satisfaisaient de la réalité virtuelle, pourquoi pas lui ?

Pixel se leva du sofa et commanda à la Maison :

– Un lait frappé aux fraises, bien froid.

Aussitôt, un petit robot s'amena de la cuisine, lui apportant son lait frappé sur un plateau. Pixel sirota son breuvage en faisant le tour de la chambre. Dans un coin, il y avait un lit, et la majeure partie de l'espace restant était occupée par de l'équipement de RV. La porte du placard était cachée dans le mur, mais tout le reste de la pièce était… dénudé. Ç'aurait pu être la chambre de n'importe qui. Rien n'indiquait que c'était la sienne.

Mais pourquoi la décorer lorsqu'il passait ses journées dans la réalité virtuelle où il pouvait s'entourer de ce qu'il voulait ? Pixel se rendit compte qu'il ignorait tout au sujet de la vraie réalité.

Il ne se souvenait pas d'être allé dans un endroit réel, sauf peut-être cette maison. Ses voyages dans la réalité virtuelle lui avaient appris que les résidences pouvaient être de fantastiques endroits complexes, dont certains édifices avaient été construits il y a des siècles par des maîtres d'œuvre. Par contraste, la maison où il vivait ne comptait que deux chambres, la sienne et celle de ses parents, une salle de bains et une cuisine et, bien entendu, une salle où les petits robots attendaient que leurs services soient requis. Et toutes les pièces étaient aussi dénudées que celle-là, sauf peut-être la cuisine. Pixel n'était pas entré dans la cuisine depuis peut-être quatre ans ; il n'avait qu'une vague souvenance qu'elle contenait de l'équipement de cuisson pour que les robots puissent y travailler, et très probablement de la nourriture.

Il ne savait même pas d'où venaient les vivres ni comment ils arrivaient là. Il aurait pu le vérifier sur son ordinateur, mais il ne s'était jamais posé la question auparavant. Pourquoi se la posait-il maintenant ?

C'était bien entendu à cause de ce rêve, le rêve récurrent. Pour une raison inexpliquée, ce dernier avait semblé si réel, encore plus que la RV, même si Pixel savait que ce n'était pas le cas. Le rêve lui avait donné le goût de la réalité et avait éveillé en lui une faim dont il ignorait jusqu'à présent l'existence.

Il termina son lait frappé et posa le verre par terre, qui fut très vite ramassé et emporté par le robot. Pixel supposait que le verre serait nettoyé… ou peut-être bien jeté aux vidanges. Il ne s'était jamais demandé ce qui arrivait aux objets dont il s'était servi. Lorsqu'il allait se coucher par exemple, il jetait ses vêtements par terre. Lorsqu'il se réveillait, il n'y avait plus de linge sur le parquet et il choisissait de nouvelles fringues dans son placard. La Maison lavait-elle ses vêtements et les remettait-elle dans le placard ? Ou bien jetait-on ses frusques et en ajoutait-on de nouvelles dans sa penderie selon ses besoins ?

Il n'en avait pas la moindre idée. Fronçant les sourcils, Pixel se rendit compte qu'il ne savait pratiquement rien en dehors de ce que lui avait appris la réalité virtuelle. Cette pensée lui tira un rire amer. Les choses avaient assez duré. Il allait prendre des mesures drastiques.

Il irait à la recherche de la réalité. Euh…

— Maison, appela-t-il, comment puis-je faire pour sortir d'ici ?

— Par la porte de ta chambre, répondit la voix aimable de la Maison.

Ce n'était ni la voix d'un homme ni celle d'une femme ; c'était une voix agréable, apaisante.

— Tu n'as pas compris, grogna-t-il. Je veux sortir de la maison.

— Sortir de la maison ? » s'étonna la Maison.

Les ordinateurs ne peuvent exprimer d'étonnement, mais celui-ci semblait un peu perplexe.

— Je ne comprends pas, poursuivit la Maison.

— Je te dis que je veux *aller à l'extérieur,* déclara Pixel avec obstination. Il y a sûrement un moyen de sortir d'ici, n'est-ce pas ?

— Oui, convint la Maison. Il y a effectivement une porte. Cependant, je te déconseille de la franchir.

— Je n'ai pas besoin de tes conseils, répondit Pixel en quittant sa chambre. *Je* veux aller hors de ces murs et tu dois obéir à mes ordres. Où est cette fameuse porte ?

— Elle est dans la cuisine, répondit la Maison, mais je te recommande fortement de ne pas l'utiliser.

— Je n'ai que faire de tes recommandations, murmura Pixel.

Il avait pris une décision et ce n'était pas une Maison stupide qui allait le faire changer d'idée. Il entra dans la cuisine et fut content de voir qu'il avait raison. Il y avait un évier. Il y avait aussi une porte qui menait vraisemblablement au placard à provisions.

— Où est la porte qui mène à l'extérieur ? questionna-t-il.

Il y eut une courte pause, comme si la Maison pensait à lui désobéir. Puis, une mince ligne apparut dans le mur aveugle éloigné, pour s'élargir jusqu'à devenir une brèche.

— Shalar, lui dit la Maison, utilisant le vrai nom du garçon pour la première fois pour autant que ce dernier s'en souvienne, ne quitte pas les lieux. Tu ne sais pas ce qu'il y a dehors.

— Non, je ne le sais pas, en convint Pixel, en se dirigeant lentement vers la porte. C'est pour le découvrir que je veux y aller.

Il sortit de la maison et entra dans la réalité.

Il faisait plus frais que dans la maison et l'air se déplaçait plus vite que la petite brise de la climatisation. Cependant, ça lui était égal.

— Je vais envoyer un robot pour t'aider, lui dit la voix de la Maison, de l'intérieur de la cuisine.

— Non, répondit Pixel avec fermeté. Je pars seul. Je n'ai pas besoin de quelqu'un pour s'occuper de moi. Maintenant, ferme la porte.

Il y eut encore une pause peu enthousiaste, mais la Maison n'avait pas le choix. Elle était forcée d'obéir et la porte se referma silencieusement.

Pixel sourit en son for intérieur. Il était dehors, dans le monde réel !

Il s'éloigna en direction de la route, puis se tourna pour regarder sa maison. Il n'avait pas souvenir d'avoir mis les pieds à l'extérieur et il vit que la construction ressemblait à un caisson sans traits caractéristiques, un caisson de six mètres de large sur neuf mètres de long et trois mètres de haut. Elle ne comportait ni fenêtres ni portes visibles, ni aucun de ces ornements architecturaux dont étaient dotées les vieilles maisons dans la RV. Comme personne n'en voyait jamais l'extérieur, pourquoi en aurait-elle eu ?

Pixel regarda autour de lui. Aussi loin que son regard pouvait se porter, il y avait d'autres maisons en forme de caisson, sans traits caractéristiques, comme la sienne.

De fait, la réalité semblait très morne. Ça lui était égal. Il devait y avoir autre chose que cela et il le trouverait. Il connaîtrait une aventure réelle, et non une histoire inventée par un ordinateur ou un programmeur. L'aventure lui appartiendrait en propre.

En fredonnant, il se mit en route, tout en regardant autour de lui dans l'espoir de voir quelque chose.

Il continua à marcher pendant environ une heure, jusqu'à ce que ses jambes se fatiguent. Il s'assit ensuite sur la pelouse la plus proche et étudia ce qu'il avait découvert jusqu'à présent au sujet de la réalité. Pas grand-chose. La réalité se composait d'une série de caissons sur le gazon, de nuages dans le ciel ainsi que d'une brise agréable et rafraîchissante.

Pixel commençait à avoir faim et soif. « Maison » appela-t-il, mais il s'arrêta avec un sourire. Il n'était plus chez lui. Comment la Maison pouvait-elle l'entendre et lui apporter quelque chose ?

Puis, il fut pris d'inquiétude. « Je ferais mieux de faire demi-tour », se dit-il. Puis il prit conscience d'autre chose.

Il ne savait pas où se trouvait sa résidence. Il marchait depuis un certain temps et il avait emprunté différentes routes au hasard. De plus, toutes les constructions se ressemblaient, sans rien qui les distingue. En RV, il ne s'était jamais perdu.

Pixel était vraiment inquiet. Il jeta un regard à la maison la plus proche de lui. La construction ne portait ni chiffres ni adresse. Alors, comment les camions de livraison pouvaient-ils s'y rendre ? Le jeune garçon tressaillit. L'ordinateur les guidait bien sûr. Mais, lui, comment retrouverait-il son chemin ?

Il s'approcha lentement de l'extérieur de la maison et regarda la bâtisse de plus près. Il ne voyait que des murs aveugles. Il se dit qu'il pourrait peut-être y trouver de l'aide. « Maison ? » appela-t-il doucement. Il supposa que l'ordinateur ici devait être similaire à celui qu'il avait chez lui.

— Usager inconnu, répondit la Maison. Veuillez quitter immédiatement.

— S'il vous plaît, pria Pixel. J'ai besoin d'aide. Je suis perdu et je ne sais pas où est ma résidence.

— Usager inconnu, répéta la maison. La police sera avisée.

Pixel encaissa.

— Mais j'ai juste besoin d'aide !

— La police sera avisée, répéta la Maison.

Vaincu, Pixel fit demi-tour et s'éloigna. L'une des directions lui sembla la bonne. Peut-être était-ce le fruit de son imagination, mais quelle différence cela pouvait-il bien faire ? Toute direction pouvait être bonne ou mauvaise. Il prit donc le chemin que son instinct lui disait de suivre.

Il sursauta lorsqu'il se rendit compte que quelqu'un marchait à ses côtés, quelqu'un qui n'était pas là il y a une seconde. Pixel regarda fixement la personne avec étonnement. C'était un homme de grande taille et de forme indistincte, vêtu entièrement de noir. Le type sourit à Pixel et lui fit un clin d'œil.

— Mais d'où venez-vous ? lui demanda Pixel tout surpris.

Le lieu dont je viens importe peu,
Mais à ton aide je viens si tu veux.

L'homme avait répondu en vers rimés.

– Vous voulez bien m'aider, dit Pixel avec empressement. Vous pouvez me ramener chez moi ?

Cette direction t'est fermée,
Mais je te montrerai un endroit nouveau où tu pourras aller.

L'homme signala de la main le chemin devant eux.

– Je ne vous comprends pas, avoua Pixel. Où m'emmenez-vous ?

Je suis ton guide ; appelle-moi Relcoa.
Je serai à tes côtés lorsque le danger se présentera.
Retrouve Renald et Score, les deux personnes que tu dois retracer.
Vous trouverez alors tous les trois ce que vous cherchez.

— Que voulez-vous dire ? demanda Pixel, qui s'aperçut avec effroi que Relcoa n'avait pas d'ombre.

Une urgence est née
Et le danger se pointe le nez,
Mais il y a deux amis que tu dois trouver
Car tous vous vous ressemblez.

Pixel se rendit soudain compte que l'après-midi tirait à sa fin. Un beau coucher de soleil teintait le ciel en rouge. Il ferait donc bientôt nuit et il n'avait toujours pas d'endroit où rester. Il avait encore faim et soif, et il était fatigué. Qui plus est, il ne continuait à voir qu'une suite de maisons identiques.

Il devrait peut-être aller à une autre maison et demander qu'on appelle la police. Cette dernière serait probablement en mesure de l'aider. Après tout, il n'était pas un criminel ; il n'avait rien fait de mal.

Il vit alors que la rangée de maisons se terminait. Plus haut que les constructions, un mur barrait la rue. Heureux de voir un changement quelconque, Pixel courut dans cette direction. Il se rendit brusquement compte que Relcoa avait disparu. Si ce dernier n'était qu'une projection, ce n'était pas surprenant.

Lorsqu'il atteignit le mur, Pixel vit que ce dernier suivait la crête. À sa droite, il pouvait voir par-dessus le sommet du mur. Au-delà s'étendait une zone grisâtre, avec de longs bâtiments en bois abritant une foule de gens — des hommes, des femmes et des enfants. Tous portaient des vêtements d'un gris terne, et semblaient épuisés et abattus.

Des policiers équipés de mitrailleuses les surveillaient.

L'idée de demander l'aide des policiers lui sembla tout à coup aberrante. Ces derniers pourraient penser qu'il faisait partie des prisonniers qui s'étaient enfuis. Qui étaient donc ces gens et que faisaient-ils ici ?

Relcoa vint soudain à sa rencontre. Il avait dû comprendre l'étonnement de Pixel puisqu'il tint ces propos :

Ces ouvriers travaillent dur et sans compter
Pour fabriquer les choses que tu veux sans cesse utiliser.

En état de choc, Pixel comprit ce que l'étranger voulait dire : les choses qu'il commandait à la Maison provenaient de ces esclaves dans le camp de prisonniers. Ces gens – et probablement des millions comme eux – devaient travailler toute la journée pour permettre à des personnes comme Pixel et sa famille de mener une vie sans souci, obtenant ce qu'ils voulaient sans même y penser.

Pixel s'éloigna du mur en courant. Peu lui importait la direction dans laquelle il allait pour autant qu'il échappe à ce spectacle affligeant. Il ne voulait pas savoir qu'il menait une vie de plaisir parce que bon nombre de gens avaient une existence misérable.

Il entendit un aboiement. Il leva la tête, perplexe. Depuis sa sortie, c'était le premier son qu'il captait, mis à part le gémissement du vent. L'aboiement fut suivi de nombreux autres. Les chiens qui jappaient semblaient se déplacer – se diriger vers lui en fait. Des animaux familiers ? Il ne pouvait savoir car il n'en avait jamais eu. S'en occuper demandait trop de travail et c'était inutile puisque, dans le monde de la RV, il pouvait avoir tout animal qu'il voulait sans devoir le nourrir, nettoyer sa litière et pleurer sa mort.

Il pensait que la plupart des gens étaient du même avis. Alors, à qui appartenaient ces chiens ?

Pixel vit l'inquiétude le gagner. Cependant, il eut bientôt sa réponse. Une meute d'environ trente chiens faméliques apparut derrière l'une des maisons. Ils le fixèrent et commencèrent à avancer. Ils étaient de différentes formes et tailles, mais ils avaient tous l'air méchant et avaient tous des yeux étranges – complètement noirs. Ils avaient cessé d'aboyer et semblaient maintenant résolus à attaquer.

Pixel comprit ce qu'ils étaient : des animaux familiers errants devenus sauvages. La plupart d'entre eux auraient normalement dû mourir mais certains, plus coriaces que d'autres, avaient survécu en mangeant tout ce qu'ils pouvaient récupérer... ou chasser.

Et il était dehors, seul et non armé.

Lentement, avec détermination, les chiens avançaient vers lui, bavant, la gueule ouverte.

Pixel prit les jambes à son cou. Il entendit immédiatement les chiens qui se lançaient à ses trousses. Il était terrifié, sachant qu'il ne pourrait leur échapper. Dans une RV, il avait vu une fois une meute de chiens sauvages qui attaquaient un cerf.

Mû par le désespoir, Pixel poussa son corps fatigué vers l'avant. Il évita de justesse un chien qui voulait lui mordre la cheville.

Soudainement, un cri de colère, accompagné d'un battement d'ailes, se fit entendre. Pixel sentit une ombre passer au-dessus de sa tête. Il pouvait percevoir l'incertitude des chiens et leur propre peur face à ce nouveau prédateur. Pixel se risqua à regarder en haut, terrifié qu'il était à l'idée de n'échapper aux chiens que pour être capturé par une autre créature.

C'était une sorte d'aigle géant, de couleur brun doré, qui fondait vers eux. les serres déployées et le bec grand ouvert. Pixel se disait que l'oiseau visait les chiens, mais il n'en était pas absolument sûr. L'aigle descendait si vite qu'il constituait une masse presque indistincte. Effrayé, Pixel fit un bond de côté, mais il trébucha et tomba.

Les chiens, qui ne guettaient que cette occasion, se précipitèrent sur lui.

L'aigle avait atterri, mais ce n'était plus un simple oiseau. Il semblait presque avoir la forme d'un homme, bien qu'il soit encore couvert de plumes et que sa tête ait la forme d'un bec. Cependant, de ses griffes longues et acérées, il a déchiqueté les chiens. Pour une raison inexpliquée, Pixel était protégé par l'aigle. Il réussit à se relever, se demandant ce qui allait se passer.

L'homme-aigle jeta deux chiens au reste de la meute, pivota et prit le bras de Pixel.

— Nous devons partir, gronda-t-il, tout de suite. Je m'appelle Hakar. Tu dois venir avec moi.

— Pour aller où ? demanda Pixel, surpris que son sauveteur puisse parler.

— Loin d'ici.

Pixel était tout à fait d'accord. Les chiens recommençaient à s'approcher.

— O.K., dit-il, mais comment allons-nous le faire ?

— Comme ceci.

Hakar se concentra et étendit sa main griffue. Pixel vit qu'il portait à un doigt une bague ornée d'une pierre précieuse. Il y eut un éclat de lumière et l'air en avant d'eux sembla se déchirer, et un trou aux bords irréguliers y apparut. C'était comme une déchirure dans l'espace, d'un noir profond et dégageant un air froid.

— Par ici, fit l'homme-aigle.

Pixel n'était pas certain que ce soit une bonne idée. Il ne pouvait rien voir dans la brèche et il avait peur.

— Je ne sais pas, murmura-t-il.

— Préférerais-tu être mis en lambeaux par les chiens, lui demanda Hakar, d'un ton rempli de sous-entendus.

Prenant son courage à deux mains, Pixel sauta dans la déchirure noire dessinée dans l'espace. Il la traversa et se retrouva dans la noirceur. Il entendit l'homme-aigle qui le suivait.

Mais où allaient-ils ?

Alors que l'homme-aigle disparaissait dans la brèche, celle-ci grésilla et se referma avant que les chiens puissent y entrer. Les Ombres émergèrent des chiens possédés, laissant les pauvres animaux perplexes au sujet de ce qui leur était arrivé.

Les Ombres, transportées de joie, s'élevèrent dans les airs, laissant Calomir derrière elles. Il était temps qu'elles retournent chez elles pour informer leur Maître que les trois dernières victimes avaient été rassemblées. Tout se déroulait comme prévu.

4

Au lieu de frapper l'eau comme il s'y attendait ou de s'écraser sur les rochers comme il le craignait, Score se posa plutôt brutalement sur du gazon. Assommé à plus d'un égard, il lui fallut quelques minutes pour se relever en s'aidant de ses mains et de ses genoux, et voir où il avait atterri.

Il ne se trouvait sûrement pas à New York, ni à un endroit qu'il aurait pu voir dans le *National Geographic*.

L'herbe sous ses pieds et les arbres autour de lui semblaient normaux, c'est-à-dire qu'ils l'auraient été s'il s'était trouvé dans l'État de Washington et non là où la rivière de l'Est aurait normalement dû couler. Les arbres étaient hauts et feuillus, bloquant le chaud soleil de l'après-midi. Jusqu'à ce qu'il regarde plus loin, Score trouvait qu'ils donnaient à l'endroit l'aspect d'une aire de pique-nique.

La chose qui lui avait sauvé la vie était recroquevillée et le fixait en silence. Il fut parcouru d'un frisson alors qu'il examinait à son tour l'homme-baleine. Mis à part son drôle de teint, l'homme semblait presque normal. Le type bizarre, complètement glabre et imberbe, ne semblait pas pressé de parler.

Score avait trois chevaux derrière lui, attachés à une corde tendue entre deux arbres. Les bêtes ressemblaient à celles qui tiraient les voitures de Central Park. Mâchouillant l'herbe en attendant, les chevaux ne se préoccupaient pas de la présence de Score.

Finalement, le jeune garçon demanda :

— Où suis-je ?

— Treen, fut la réponse laconique de l'homme-baleine.

Score frissonna encore plus. Il se remémora les mots sur la page étrange : « Treen est le début ! » Il se souvenait du message… Il était donc sur Treen… Mais de quoi ce lieu mystérieux était-il le début ?

Il se trouvait sur une planète bizarre, c'était un fait, mais il ne pouvait se résigner à accepter une situation aussi étrange. Déconcerté, il secoua la tête et se dit qu'il lui fallait en savoir plus. S'hee semblait prêt à l'éclairer. Apeuré et troublé, Score ne voyait du positif que dans un aspect de la situation. Il était loin de New York. Mais où avait-il donc atterri ? Et pourquoi ?

— Quel genre de personne es-tu ? demanda-t-il à S'hee.

— Je ne suis pas une personne, répondit S'hee dignement, je suis un Bestial.

— Un quoi ?

S'hee le regarda perplexe, puis soupira.

— Alors, c'est vrai. Il n'y a pas de Bestials dans votre monde ?

— Oh non ! fit Score en dévisageant son interlocuteur. Il n'y a rien qui te ressemble dans mon monde. Comment fais-tu ces transformations d'images ?

— Transformations d'images ? s'étonna S'hee. Tu veux dire le passage d'un état à un autre ?

— Comment respires-tu ? questionna Score en haussant les épaules. C'est aussi simple.

— Génial !

— Tu es un genre de loup-garou excentrique alors ? s'informa Score en s'assoyant.

— Un loup-garou ? répéta S'hee, perplexe. Certains membres de ma famille sont effectivement des loups-garous mais, moi, je suis un balaénidé. Nous attendons d'autres Bestials, qui ont eux aussi un aspect particulier.

— Nous les attendons ? demanda Score en regardant autour de lui. Pourquoi ?

— C'est ma tâche, répondit S'hee en dressant la tête. En voici un autre qui arrive.

Score ne voyait ni n'entendait rien, mais le Bestial avait probablement des sens plus développés que lui.

À environ trois mètres de lui, une déchirure sombre apparut dans l'espace. Elle ressemblait à celle dans laquelle S'hee et lui étaient tombés. Toute cette mise en scène n'était donc pas uniquement pour lui.

Une autre personne venait. Qu'est-ce qui se passait ?

Alors que Score fixait la déchirure, il vit deux formes en sortir. La déchirure se replia alors sur elle-même et disparut. Score se leva, se demandant s'il devait s'attendre à une nouvelle attaque, mais S'hee se contenta de faire un signe de tête à l'un des nouveaux venus sans montrer d'inquiétude. Ce geste voulait-il dire qu'il n'y avait pas de danger… à condition de pouvoir faire confiance aux Bestials ?

Le premier arrivant était manifestement un Bestial. D'après sa fourrure et ses traits félins, c'était une sorte de femme-léopard. La créature était plutôt mignonne, si l'on aimait les crocs et les griffes.

L'autre personne était un garçon du même âge que Score. On aurait dit qu'il sortait d'un film du roi Arthur. Il portait des vêtements rustiques de combattant et transportait sur lui une épée, un carquois et des flèches. Il tourna ses yeux sombres d'abord vers S'hee, ensuite vers Score.

— Où suis-je ? demanda-t-il finalement.

— Sur Treen, répondit Score. C'est le nom de la planète. Je m'appelle Score.

Il lui tendit la main. L'autre garçon le regarda un instant, comme pour le jauger, et lui tendit enfin la main à son tour.

— Je m'appelle Hel… Renald, dit-il, suis-je dans un autre monde ?

Bonne question, se dit Score.

— Nous le sommes tous les deux, répondit Score. Du moins, je le pense. Nous sommes peut-être morts et ce serait l'au-delà.

Il plissa le nez.

— Mais il y a une trop forte odeur de chevaux pour que nous soyons au paradis. Ou peut-être suis-je en train de perdre la boule et rien de tout cela n'est-il vrai.

Il pointa la femme-léopard, qui s'était accroupie auprès de S'hee, attendant elle aussi.

— Ce sont des Bestials, ajouta-t-il. Ils n'existent pas dans mon monde. Ils sont moitié homme – ou femme – et moitié animal. Ils peuvent passer d'une forme à l'autre. C'est vraiment spécial !

— Je l'ai remarqué, répondit Renald sur un ton flegmatique.

Il vit les chevaux et montra finalement un peu d'enthousiasme.

— Ce sont de belles bêtes. D'après leur nombre, j'imagine que nous attendons une troisième personne.

— Je suppose, fit Score en haussant les épaules. S'hee n'est pas particulièrement bavard.

— Pas plus que Rahn, reconnut Renald.

Il fit un pas en avant.

— Quand allons-nous avoir des explications ? demanda-t-il sur un ton quelque peu arrogant.

Il était évident qu'il avait l'habitude de commander.

— Lorsque vous arriverez chez Aranak, répondit Rahn, il vous expliquera tout.

— Pourquoi ne le fais-tu pas, toi ? lui demanda Renald sur un ton agressif.

— Parce que je ne sais pas tout.

— Tu savais que j'étais dans le pétrin, lui fit remarquer Renald.

— C'est Aranak qui me l'a dit.

La conversation semblait ennuyer Rahn.

Score regarda autour de lui. L'endroit avait manifestement été préparé pour eux. « Comment se fait-il qu'il ne soit pas là ? » se demanda-t-il à haute voix. Était-ce un piège ? Et comment se faisait-il que sa mère — ou la personne qui avait écrit cette lettre étrange — connaissait le nom de cet endroit ? Score était quelque peu rassuré à l'idée qu'il avait toujours la lettre, dans son portefeuille. Dès qu'il serait à l'abri du regard des autres, il la relirait pour essayer d'en déchiffrer le sens.

S'hee haussa les épaules.

— Je suis sûr qu'Aranak vous dira ce qu'il veut que vous sachiez lorsque vous le rencontrerez.

— Je pense que vous en savez plus que vous ne voulez nous en dire, fit remarquer Renald avec entêtement.

— Laisse faire, lui conseilla Score. Soit ils ne savent pas, soit ils ne veulent rien nous dire.

— Sais-tu pourquoi nous sommes ici ? lui demanda Renald en lui lançant un regard furieux. Ou sommes-nous donc ?

— Je n'en ai pas la moindre idée, avoua Score. J'aimerais le savoir. C'est vraiment troublant. Je ne suis pas certain de me plaire ici et j'aimerais mieux ne pas m'y trouver. Je préférerais être à New York. Au moins là-bas, je connais le territoire.

Il fit un geste en direction des arbres.

— Cet endroit me fait peur.

— Voici le dernier qui arrive ! annonça Rahn, en se levant.

Il y eut un nouveau froissement dans l'air alors que la déchirure sombre se reformait. Deux autres formes atterrissaient sur Treen.

La première ressemblait à une sorte d'homme-aigle. La créature fit un signe de tête à ses deux compagnons qui attendaient et dirigea la dernière personne vers le groupe. C'était un garçon de petite taille, à la peau bleu pâle et aux oreilles pointues. Il s'agit d'un extraterrestre, pensa Score, mais relativement souple.

— Bonjour, lui dit Score. Je m'appelle Score et voici Renald. Cette planète s'appelle Treen. Et eux, ajouta-t-il, en pointant vers les êtres-animaux, ce sont des Bestials. Me suis-tu jusqu'à présent ?

— Je crois, répondit le nouvel arrivant en fronçant les sourcils. Est-ce vraiment une autre planète ?

Il regarda autour de lui avec un respect mêlé d'admiration.

— Elle est mieux que la mienne.

— Je pense que oui, approuva Score en essayant d'adopter un ton désinvolte même si, en fait, il avait le trac.

— Je m'appelle Pixel.

Le nouveau venu serra d'abord la main de Score, ensuite celle de Renald.

— Il est temps de partir, les informa S'hee. Nous avons de la route à faire. Enfourchez votre cheval.

— Comment ? demanda Score. Je suis un gars de la ville.

— Comme ceci, lui répondit Renald avec mépris.

Il détacha un coursier blanc de la corde, saisit les rênes, plaça son pied gauche dans l'étrier et se hissa sur la selle.

— C'est très simple.

— Pour toi, marmonna Score.

Il regarda les deux autres chevaux d'un air soupçonneux et choisit un Palomino qui semblait plus petit et plus placide que l'autre. Le cheval de Renald était le plus fougueux, s'ébrouant et renâclant. Score, lui, en voulait un qui se contenterait de trotter. Il détacha le cheval et saisit les rênes. À la troisième tentative, il réussit à se mettre en selle, sans prêter attention aux gloussements de Renald à ses efforts.

— Ce n'était pas trop mal, reconnut-il, en se cramponnant aux rênes et en se tenant bien droit sur la selle, terrifié que l'animal puisse partir au galop ou le désarçonner. Ils ne lancent pas de ruades, j'espère ?

Renald ronchonna :

— Ce sont des animaux dressés. Ils ne te feront pas de mal… du moins pas intentionnellement.

Renald dirigea un regard amusé sur Pixel, qui avait finalement réussi à monter en selle sur le cheval pie.

— J'imagine que pour vous éviter de tomber, nous allons devoir aller lentement, constata Renald.

— Excellente idée, dit Score, faisant fi du regard de mépris de Renald. La prochaine fois, nous prendrons le métro. J'aimerais te voir essayer de monter dans une voiture.

— Je n'ai pas la moindre idée de ce que tu me dis, répliqua Renald.

— C'est exactement ça, lui répondit Score. C'est facile pour toi de te montrer suffisant en ce moment puisque tu es le seul à être déjà monté à cheval. Cependant, tu n'es pas supérieur à moi pour autant.

Renald le regarda avec mépris.

— Mon père est le seigneur Votrin, dit-il d'un ton brusque. J'appartiens à la haute noblesse. Je suis également un guerrier. *C'est pour ces raisons* que je te suis supérieur.

Il regarda les piteux vêtements de Score.

— Toi, l'humble gamin des rues, tu serais un voleur d'après ton apparence.

— Oui, convint Score avec un sourire, mais un excellent voleur, ne vous en déplaise, Votre Majesté.

Avec un dernier grognement, Renald se tourna vers S'hee. Les Bestials commencèrent à trotter. Score regarda son cheval.

— Vas-y, lui demanda-t-il.

Comment faisait-on pour amener un cheval à trotter ? Il ne savait dire aux chevaux que « Ho » et c'était pour les faire arrêter. Pixel semblait tout aussi désemparé.

Renald soupira.

— Utilisez vos genoux, ordonna-t-il aux deux garçons. Pressez le flanc de l'animal une fois avec vos genoux et donnez ensuite un petit coup avec les rênes.

Il leur fit une démonstration et son coursier commença à trotter derrière les Bestials, qui s'en allaient.

Score fit comme on le lui avait ordonné et, à sa grande surprise, son cheval commença effectivement à ambler derrière celui de Renald. Pixel parvint aussi à les suivre. Ils partirent donc à la rencontre de cet Aranak, où qu'il se trouve. Avec un peu de chance, il les éclairerait.

Ils étaient encore dans la forêt. Le paysage était beau mais très différent de Bowery. Score voulait bien admirer les arbres, les arbustes et les fleurs mais, au bout d'un certain temps, il se lassa. Le trajet ressemblait à un long parcours dans un parc ; ce n'était vraiment pas ce à quoi il s'attendait à trouver sur une autre planète. Où étaient donc ces villes fabuleuses ou les stations d'accueil des vaisseaux spatiaux, ou encore ces monstres voraces ? Où étaient les extraterrestres ? Peut-être les Bestials en faisaient-ils partie, mais ce n'était pas tout à fait l'image qu'il s'en faisait. Il se demandait combien de temps la promenade allait durer et songea à s'en informer à S'hee. Or, si le Bestial avait voulu qu'il le sache, il le lui aurait déjà dit. Score haussa les épaules et décida d'attendre la suite des événements.

Il souhaitait seulement finir par comprendre. Il brûlait d'envie de reprendre la lettre pour la relire et en déchiffrer le sens caché. Ce devait être un conseil, une mise en garde, une carte, quelque chose qui lui donnerait un indice. Score éprouvait l'immense besoin d'avoir un avantage quelconque. Il éprouvait aussi une peur atroce d'être entraîné vers un piège.

— J'ai faim, se plaignit Pixel, et soif.

Score se rendit compte que, lui aussi, il avait faim et soif. Il leva les yeux vers le ciel. Il devait être midi ici. Hier lui semblait très lointain.

— Oui, moi aussi dit-il. Je mangerais bien un hamburger accompagné d'une boisson gazeuse, mais je ne vois pas de comptoir de commandes à emporter. Il semble n'y avoir rien à manger ni à boire aux alentours.

— Avez-vous apporté quelque chose avec vous ? demanda Renald, après avoir poussé un profond soupir.

— Juste ma façon de faire, lui répondit Score. Je ne m'attendais pas vraiment à être transporté sur une autre planète même si, toi, tu semblais t'y en attendre.

Sans ouvrir la bouche, Renald retira de ses épaules le sac et la gourde, et les passa à Pixel. Le garçon maigrelet faillit tomber du cheval en se penchant pour les saisir. Renald leva les sourcils encore une fois.

— Rassasie-toi un peu et passe le sac et la gourde à Score. Et toi, ajouta-t-il en se tournant vers Score, tu me les repasseras. Je ne sais pas combien de temps nous allons devoir nous contenter de ça.

– Oui, Sire, répondit Score d'un ton moqueur.

Avant de se servir, il attendit que Pixel ait bu et pris une longue tranche de viande du sac. Il repassa les vivres à Renald et vit que celui-ci buvait et prenait aussi de la nourriture. Score mordit dans la viande, une viande dure qui dégageait une forte odeur.

– Qu'est-ce que c'est ?

– C'est du gibier fumé, répondit Renald. La viande a été séchée pour se conserver plus longtemps.

Avant d'en avaler, Score dut mordre et mâcher longtemps.

– C'est normal que ça se conserve longtemps. C'est presque impossible à manger !

– Veux-tu me le rendre ? lui demanda Renald.

– Non, non. Ça va.

Renald haussa les épaules et ils poursuivirent leur chemin en silence. Ils traversèrent une autre forêt dense. Les Bestials ne donnaient pas signe de fatigue, bien qu'ils trottassent depuis plusieurs heures. Score regarda le bord du chemin. Mis à part des pierres et des bâtons, il ne vit qu'un étrange rocher sur lequel avait été peint un symbole sinistre, un triangle rouge barré d'une croix. Il s'interrogea à savoir quelle pouvait bien être la signification de ce fameux symbole.

— Est-ce encore loin ? demanda Renald à S'hee.

Cependant, ce fut Rahn, la femme-léopard, qui répondit.

— Peut-être deux autres heures. Il nous faut éviter le village.

— Pourquoi faut-il l'éviter ? demanda Pixel. Est-ce qu'on ne pourrait pas s'y arrêter ?

— Seulement si tu veux y laisser ta peau, mon enfant, répondit Rahn après avoir esquissé un petit sourire moqueur.

Renald fronça les sourcils.

— Les villageois nous tueraient sans raison ?

— Ils sont persuadés d'avoir une raison, répondit Rahn, ralentissant un peu pour bavarder avec les trois cavaliers. Ils détestent les Bestials et nous tueraient simplement pour ça. Détestant aussi tous les adeptes de la magie, ils vous tueraient aussi.

— Adeptes de la magie ? demanda Pixel, se faisant l'écho de la confusion que ressentait Score. Mais nous ne sommes pas magiciens. Je ne crois même pas en la magie.

— Ce que tu *crois* importe peu, dit la femme en riant, découvrant ainsi ses crocs. La magie *existe tout simplement*. Et vous devez tous la connaître, sinon vous n'auriez pu entrer par la Passerelle.

Pixel plissa les yeux.

— La Passerelle est la trouée dans l'espace par laquelle nous sommes arrivés, conclut-il lentement, comprenant manifestement ce que Rahn voulait dire. Et si seuls les pratiquants de magie peuvent la traverser, nous devons être des magiciens. Et vous aussi.

— Moi, grogna Rahn, d'un air dégoûté, jamais de la vie. Aucun Bestial ne peut recourir à la magie parce que c'est elle qui fait de nous ce que nous sommes. Étant magiques, nous ne pouvons asservir la magie. Cependant, nous pouvons entrer et sortir de la Passerelle. Dans le cas des humains, seuls les utilisateurs de magie le peuvent. Vous devez donc être des prestidigitateurs.

Score se souvint des billets de cent dollars qui se trouvaient dans sa poche.

— Nous le sommes peut-être, dit-il lentement. Je peux faire certains trucs, comme un tour de passe-passe par exemple.

Il avait encore un morceau de gibier coriace en main et il sourit. Il ferma les yeux, essaya de se concentrer sur la viande dure, se représentant à la place un bon hamburger…

Quand il rouvrit les yeux, il tenait dans la main une galette de viande chaude et juteuse.

— Aïe, ça brûle ! s'exclama-t-il.

Il garda néanmoins la galette dans sa main et réussit même à en prendre une bouchée.

— J'aurais dû me souvenir du petit pain aussi, maugréa-t-il.

— C'est incroyable, dit Pixel en le fixant. Comment fais-tu ?

— Tu as entendu ce qu'a dit la dame, répondit Score, c'est de la magie.

Il ne voulait pas avouer aux autres à quel point il avait été effrayé lorsqu'il avait découvert qu'il pouvait faire ce tour. Cet endroit devenait de plus en plus étrange.

Renald hocha la tête..

— Je peux, semble-t-il, deviner les attaques, dit-il d'une voix tendue. Et toi, que fais-tu ?

— Je n'en suis pas sûr, répondit Pixel en haussant les épaules.

Score scruta les arbres.

— Comme ça, ces villageois n'aiment pas les gens comme nous ?

— Non, répondit Rahn.

Elle seule n'avait pas été surprise par ce qu'avait fait Score. Elle voyait peut-être des choses aussi bizarres tous les jours.

— Ils vous tueraient pour vous empêcher de les dominer.

— Les dominer ? répéta Score. Mais pourquoi voudrions-nous faire ça ?

— Je ne sais pas, avoua Rahn en haussant les épaules. Les humains sont comme ça. Et les magiciens gouvernent le monde. Ils ont le pouvoir d'obliger les autres à leur obéir. C'est le cas d'Aranak.

— Tu veux dire que c'est lui qui commande ici ? demanda Pixel. C'est un grand magicien ? Alors pourquoi les villageois ne l'ont-ils pas tué ?

— Ils le voudraient, reconnut Rahn, mais son pouvoir est trop fort pour eux et ils ne le peuvent pas. Lorsque vous atteindrez sa tour, Aranak sera en mesure de vous protéger.

Elle marqua un arrêt.

— Mais ce n'est pas lui qui commande vraiment, à l'exception du monde immédiat. Il doit obéir à ceux qui possèdent un pouvoir supérieur au sien.

Renald leva soudain la main, prenant instantanément le commandement.

— Je sens venir des ennuis !

Le Bestial ne l'interrogea pas. Rahn fit volte-face et commença à scruter les arbres et les buissons.

Au même moment, plusieurs hommes fortement armés sortirent du bois, l'épée dégainée et prête à être utilisée.

Renald avait raison : il y avait bel et bien des ennuis à l'horizon.

5

En voyant la façon dont se tenaient les hommes qui les attendaient, Renald sourit en son for intérieur. Ils étaient une douzaine, armés seulement d'épées et de couteaux. Ils ne semblaient pas être habitués à porter des armes. Comme embuscade, c'était pitoyable.

— Écartez-vous, leur dit-elle d'un ton imposant.

Quelques-uns d'entre eux traînèrent un peu les pieds, mais ce fut tout.

— Sales utilisateurs de magie, dit leur chef, un homme grand de taille aux cheveux noirs hirsutes.

— Et en plus vous fréquentez des Bestials ! dit-il après avoir craché par terre. Rien de surprenant.

Il secoua la tête de dégoût.

— Il ne faut pas faire confiance aux Bestials, mon garçon. Ils se retournent contre toi à la première occasion.

Renald avait d'elle-même pris le commandement du groupe. C'était d'ailleurs logique. Ni Score ni Pixel ne pouvaient manier une arme. Quant aux Bestials, même si c'étaient eux qui battaient le chemin, ils paraissaient désemparés. Rahn montrait les crocs, les griffes sorties. S'hee se contentait d'observer d'un air renfrogné. Il était impossible de deviner à quoi pensait Hakar au bec d'oiseau.

— Avant de vous attaquer à l'un de mes compagnons, déclara Renald, vous devrez d'abord me tuer. Et aucun d'entre vous ne possède l'habileté nécessaire.

Renald ne se vantait pas ; elle se contentait tout simplement d'énoncer un fait. Après tout, il valait mieux leur faire peur que de devoir les combattre et peut-être même en tuer quelques-uns.

— Même toi, mon enfant, tu ne pourrais t'attaquer à nous tous en même temps, répliqua le chef.

— Nous ne vous cherchons pas querelle, lui dit Renald. Libérez-nous le chemin et les choses s'arrêteront là.

— Il vous faudra nous passer sur le corps d'abord, gronda l'homme.

— C'est votre décision, répondit Renald en laissant échapper un soupir.

Elle s'apprêtait à descendre de son cheval quand Score lui saisit le bras.

— Qu'est-ce que tu fais ? lui demanda-t-il. On ferait mieux de nous frayer un chemin avec nos chevaux !

— Ce serait l'action d'un lâche, non celle d'un guerrier, riposta Renald en ricanant.

— Eh bien, moi, je ne suis pas un guerrier, protesta Score. Tu sais peut-être comment te débrouiller avec ce couteau à steak géant, mais Pixel et moi ne sommes pas habitués aux duels à l'épée.

— J'en suis tout à fait conscient, répliqua Renald avec patience. Moi, j'y suis habitué et je m'occuperai d'eux à ma façon.

— Mais qui a fait de toi notre chef ? lui demanda Score.

— Je suis le fils d'un seigneur d'Ordin, expliqua Renald. Et, comme tu viens de le faire remarquer, je suis le seul guerrier ici.

Pixel se rapprocha.

— Attendez, dit-il, il y a quelque chose de louche.

— Que veux-tu dire ? lui demanda Renald.

— Ils attendent qu'on se dirige vers eux, lui fit remarquer Pixel.

— Bien sûr, c'est ce que font les guerriers, expliqua Renald.

— Mais ce ne sont pas des guerriers, précisa Pixel. Ce sont des villageois qui veulent nous massacrer à cause de qui nous sommes. Pourquoi ne nous ont-ils pas attaqués lors de l'embuscade, au lieu de nous donner un avertissement ?

Renald commençait à comprendre où voulait en venir Pixel.

— Parce qu'il y en a d'autres en route et que ce groupe cherche tout simplement à nous retarder. C'est la raison pour laquelle ils attendent au lieu de nous attaquer.

Renald acquiesça d'un signe de tête, l'air sombre, se rendant compte que Pixel avait raison.

— Et il est fort probable que le prochain groupe comptera des archers, ajouta Renald. De cette façon, ils pourront nous tuer sans trop s'approcher.

Elle réfléchit un moment.

— Cela change tout.

Se dirigeant vers les Bestials, elle s'adressa à Hakar :

— Hakar, es-tu capable de voler vers la liberté ?

— Bien sûr ! lui répondit l'homme-aigle, mais je ne peux pas vous quitter alors que vous avez besoin de moi.

— Va vers Aranak, lui ordonna Renald. Annonce-lui que nous sommes tombés dans une embuscade.

Elle parlait d'une voix assez forte pour que les villageois l'entendent.

— Dis-lui que nous avons besoin de son aide.

Hakar fit un brusque signe de tête, comprenant la sagesse de cette demande. Il s'éleva dans les airs, son corps se transformant en celui d'un aigle géant. Avec un grand battement d'ailes, il s'élança vers le ciel et disparut rapidement.

Renald sourit aux villageois perturbés.

— Dès qu'il aura rejoint Aranak, vous serez dans le pétrin, leur fit-elle remarquer. Alors, laissez-nous passer.

— D'ici là, vous serez morts, répliqua le chef en secouant la tête.

Il fit signe aux autres avec son épée.

— Attaquons !

Il était essentiel que les trois compagnons s'éloignent avant l'arrivée des renforts. Ses plans ayant changé, Renald éperonna son cheval, dégaina son épée et lança un cri de guerre tout en fonçant sur les adversaires.

Les villageois faiblards furent intimidés par la charge du cheval de bataille. Plusieurs d'entre eux s'écartèrent tout simplement du chemin. Seuls trois, dont le chef, tinrent bon. Le chef se préparait à attaquer le cheval. C'était une excellente manœuvre, car Renald ne pouvait se permettre de mettre son coursier en danger.

Juste avant l'impact, elle fit pivoter l'animal vers la gauche et donna un grand coup d'épée. L'homme tomba à la renverse. Le deuxième homme s'élança à son tour vers elle mais, pour l'atteindre, il devait pointer son épée vers le haut. Renald para le coup et lui donna un coup de pied en pleine poitrine qui le fit s'affaler. Le troisième homme, voyant que ses deux compagnons avaient été vaincus, hésita. Profitant de ce moment de faiblesse, Renald le frappa avec le plat de l'épée. Le coup le fit trébucher. Il tomba, la tête endolorie.

Renald en avait vaincu trois dès le premier instant...

Rahn avait sauté à ses côtés et, avec ses griffes, déchiqueté un homme. Ce dernier était couché par terre, hurlant et saignant. Un deuxième tenait Rahn à distance avec son épée, mais la peur se lisait dans ses yeux et la femme-léopard le sentait bien. S'hee se dirigeait maintenant vers eux d'un pas pesant. Il n'était pas armé, mais il se montrait redoutable. Un attaquant fonça vers lui, mais S'hee lui saisit le bras et le secoua jusqu'à ce que l'épée tombe, puis le jeta comme il aurait fait d'un os de poulet rongé. S'hee se pencha pour ramasser l'épée et eut ainsi une arme.

Même si Score et Pixel avaient finalement réussi à orienter leurs chevaux dans la bonne direction, ils seraient inutiles dans le combat. Ils avaient peine à contrôler leur monture ; qu'en serait-il au cours d'une bataille ?

— Poursuivez votre chemin, leur cria Renald. Nous vous rattraperons.

Pixel fit un petit signe de tête et les deux se mirent en route.

Les villageois, voyant que la moitié de leur troupe avait été vaincue dès les premières secondes de la bataille, battirent en retraite. Les plus braves avaient été mis hors de nuire et seuls les peureux demeuraient. Renald lança de nouveau son cri de guerre et fit tournoyer son épée en se dirigeant, toujours à cheval, vers le groupe d'hommes qui restait. Comme elle s'y attendait, les derniers guerriers se dispersèrent et fuirent.

Ce n'était donc qu'une escarmouche. Elle ne s'abaisserait pas à pourchasser des lâches.

C'est alors qu'elle vit les renforcements qu'avait prédits Pixel. Ils se dirigeaient vers eux, un grand arc à la main, prêts à décocher leurs flèches. Ils étaient encore loin, mais il était prudent de ne pas attendre qu'ils approchent.

— En route ! Renald ordonna-t-elle aux Bestials.

Les deux Bestials acquiescèrent de la tête et firent demi-tour pour suivre Pixel et Score. Renald lança de nouveau un cri et talonna son cheval pour suivre les autres. Elle les rejoignit. Encore quelques secondes et le groupe serait hors de danger.

Score se retourna pour regarder Renald. Cette dernière vit une peur inavouée dans les yeux du jeune garçon, une peur qui se changea en choc.

— Attention ! lui cria-t-il.

Au même moment, la propre alarme magique de Renald s'était déclenchée, lui tordant l'estomac. Elle jeta un coup d'œil derrière elle et vit que tous les archers avaient décoché une flèche. À cette distance, la plupart des flèches se perdraient… mais pas toutes. Deux d'entre elles venaient en sa direction. Elle changea de cap, sachant qu'elle pourrait en éviter une, mais pas l'autre.

Score étendit son poing fermé, marmonnant entre ses dents. Il ferma ensuite les yeux et tordit le poignet.

La flèche allait incessamment transpercer Renald. Pendant une seconde, elle sentit passer la mort. Or, ce fut plutôt une pluie de pétales de rose qui s'abattit sur elle. Score s'était servi à bon escient de son talent pour lui sauver la vie.

— Des pétales de rose ? s'exclama Renald, perplexe, en se tournant vers lui.

— Désolé, fit-il d'un air gêné. C'est la première chose qui m'est venue à l'esprit. Je n'étais même pas certain de pouvoir changer la flèche. Jusqu'à présent, je n'avais transformé que des choses que je pouvais toucher.

Il sourit, retrouvant son aplomb :

— Je dois être un bon magicien, non ? ajouta-t-il.

Il n'était pas facile pour Renald de le reconnaître, mais elle dut se résoudre à lui dire :

— Merci de m'avoir sauvé la vie. Je me suis mépris sur ton compte.

— Ce n'était pas grand-chose, fit Score, balayant d'un geste les remerciements.

Renald se rendit compte qu'il lui faudrait peut-être du temps pour s'habituer à ses nouveaux compagnons, une chose qu'elle ne voulait justement pas. Elle voulait…

Soudainement, ses pensées vagabondèrent. Renald se trouvait ailleurs, debout dans une pièce, même si elle sentait qu'elle était encore assise à cheval. Elle n'arrivait pas à bien distinguer ce qu'il y avait dans la chambre, sauf une silhouette debout à un lutrin sur lequel était posé un livre. Une seule chandelle était allumée, mais elle éclairait suffisamment la pièce pour que la jeune fille puisse voir que la personne glissait une page dans le livre. Il faisait trop sombre pour lire ce qui y était inscrit, mais elle savait d'instinct que c'était important. La silhouette ferma le livre et Renald sentit son cœur battre plus vite. C'était le livre qu'elle avait vu dans ses rêves. Mais comment était-elle arrivée ici et où était-elle ? La silhouette se tourna vers elle.

Une main la secouait brutalement.

— Renald, lui disait Score, perplexe et manifestement effrayé, est-ce que ça va ?

Renald était de nouveau avec les autres, dans la forêt. Mais non, se rendit-elle compte, elle ne les avait jamais réellement quittés. Elle s'était tout simplement vu ailleurs. Ou peut-être était-ce une hallucination. Peut-être le choc de se retrouver sur une autre planète avait-il fini par la rattraper. Elle ne devait pas accorder trop de foi à ces visions.

Et pourtant, elle savait que ce n'était pas son esprit qui lui jouait des tours.

— Mais oui, ça va, mentit-elle, en repoussant la main du garçon. Continuons.

Après environ quinze minutes, elle serra la bride et ordonna à Pixel et Score de faire la même chose.

— Nous les avons sûrement semés, dit-elle. Nous n'avons plus besoin de nous dépêcher.

Elle regarda autour d'elle. Rahn était toujours avec eux, un peu haletante, mais S'hee était introuvable.

— Où est ton ami ? demanda Renald à la femme-léopard. Il leur a échappé, j'espère.

— Oui, répondit Rahn, mais il ne peut aller vite. Il nous rattrapera plus tard, j'en suis sûre.

Elle signala d'un geste la route en avant d'eux.

— Nous sommes presque arrivés à la tour d'Aranak.

— Et toujours pas de signe d'aide de la part du grand magicien, murmura Pixel.

— Il a peut-être autre chose à faire, lui répondit Rahn.

— Oui, des choses plus importantes que nous sauver la vie, opina Score sur un ton sarcastique. Quel bon magicien !

Rahn haussa les épaules.

— Je n'ai pas dit qu'il était bon, répondit-elle. On ne peut pas juger les magiciens selon les normes habituelles. Et souvent, ce sont leurs propres intérêts qui priment.

— Je vois, répondit Renald pensivement. Cependant, puisque nous sommes près, nous ferions mieux de presser le pas et de laisser S'hee nous rattraper dès qu'il le pourra.

Renald fit un signe de tête à Rahn, qui leur montra le chemin à nouveau.

Un cri soudain se fit entendre au-dessus de leurs têtes. Renald leva les yeux pour s'assurer que ce n'était pas un autre danger qui s'annonçait. Elle se détendit lorsqu'elle vit que ce n'était qu'Hakar. L'oiseau géant plongea vers eux et commença à chatoyer en approchant du sol, prêt à se transformer en forme humaine. Soudainement, il poussa un cri, pas un cri d'avertissement mais un cri de douleur cette fois-ci. Atterri sur un étrange arbre de couleur pourpre, il poussait des cris perçants. Il était difficile de lire les émotions sur le visage d'un oiseau, mais Renald était certaine qu'Hakar souffrait. Au bout d'un moment, ce dernier s'envola à nouveau.

— Qu'est-ce qui se passe ? demanda Pixel, inquiet.

— C'est la perturbation à nouveau, répondit Rahn après avoir haussé les épaules.

Hakar n'a pas pu changer de forme. Ça passera.

— Je suppose que c'est une chose qu'Aranak nous expliquera, n'est-ce pas ? grogna Renald.

— En effet.

Rahn prit de nouveau la tête du groupe.

La campagne qu'ils traversaient était belle, ce qui réconfortait Renald. Le paysage luxuriant regorgeait d'arbres et de buissons. Renald, de son œil exercé, remarquait les pistes de chevreuils et d'autres animaux qu'il serait agréable de chasser. Il y avait aussi des grouses, des faisans et d'autres volatiles. Renald ne pouvait s'empêcher de sourire. Elle se retrouvait en pays de connaissance.

Score aperçut un sourire sur le visage de Renald.

— Tu aimes cet endroit ? lui demanda-t-il.

— C'est un bel endroit, répondit Renald, quelque peu irrité de la réaction du jeune garçon. C'est un lieu parfait pour la chasse et la pêche.

— Moi, je ne trouve pas que l'endroit est beau, de dire Score. J'aime les trottoirs et les gratte-ciel. Les régions sauvages ne me disent rien.

— Tu dois mener une vie très morne, conclut Renald en haussant les épaules.

— Oui, finit par admettre Score, d'une voix hésitante, ce qui ne lui ressemblait guère. C'est merdique. S'il y avait quelques bons cinémas, cet endroit serait à peu près correct.

Renald ne savait que dire au garçon. Si Score ne voulait pas retourner dans le monde d'où il venait, c'est que ce dernier devait être affreux. Or, Renald était mal placé pour critiquer, car elle ne souhaitait pas non plus rejoindre son propre monde. Peut-être Pixel éprouvait-il le même sentiment, mais le garçon maigrelet était silencieux, se contentant de trotter à leurs côtés, le corps bien droit.

— La tour, annonça Rahn en la montrant du doigt.

Renald regarda le bâtiment devant eux avec intérêt. Elle s'attendait à une construction ressemblant à un donjon — un grand édifice fait de pierres et peut-être entouré d'un fossé ou d'une douve. Elle ne s'attendait pas au spectacle qui s'offrait à ses yeux.

La tour, qui devait faire environ 45 mètres de haut, donnait l'impression d'être taillée dans une seule pierre précieuse. À l'intérieur, une lumière bleu ardoise semblait y tournoyer. On ne voyait ni portes, ni fenêtres, ni fossé ou autres moyen de défense.

— Ça ressemble vraiment à une résidence de magicien, déclara Pixel. Je pense que c'est voulu. C'est une mise en garde aux villageois. Ces derniers n'oseraient pas s'approcher de quelque chose d'aussi fabuleux.

— C'est probablement vrai, acquiesça Renald, mais comment y entrer ?

Elle jeta un coup d'œil à Rahn.

— Ma tâche est accomplie, annonça la Bestiale en haussant les épaules. Je devais vous amener ici. C'est fait. Je dois maintenant retourner chez moi. Si le magicien veut vous accueillir à l'intérieur, il vous fera une porte.

Elle tendit la patte à Renald.

— Tu te bats bien pour un humain.

— Toi aussi, tu te bats bien, fit Renald en serrant la patte tendue.

La Bestiale hocha la tête, pivota sur elle-même et fonça vers les arbres. Score soupira et regarda la tour.

— Qu'allons-nous faire maintenant ?

— Nous ferions mieux de continuer à pied, suggéra Renald en descendant de son cheval. Ainsi, Aranak aura le temps de nous voir approcher.

— Ne devrait-il pas utiliser une boule de cristal pour ça ? demanda Score d'un ton quelque peu sarcastique.

— Je ne sais pas ce que ferait un magicien, répondit Renald. Je suppose que nous aurons la réponse bientôt.

Renald passa devant, suivi de ses deux compères.

De près, la tour de cristal était encore plus impressionnante. Le bleu ardoise n'était pas une illusion d'optique. Des vapeurs semblaient tourbillonner à l'intérieur des murs. Pour empêcher les gens de voir à l'intérieur ou pour une autre raison ? Renald n'en savait trop rien. Il n'y avait toujours pas de signe de porte.

— Devrions-nous frapper ? demanda Score.

— Où ? questionna Pixel.

— Frapper à la seule chose possible, dit Renald.

Elle cogna une fois sur le cristal fumé. Des symboles sibyllins apparurent sur la paroi.

— Qu'est-ce que cela signifie ? gémit Score.

– C'est un code quelconque, expliqua Pixel, en y regardant de près.

– C'est un mot ? lui demanda Renald.

– Je pense en fait qu'il s'agit de deux mots, répondit-il après avoir hoché la tête. Il faudrait regarder le code de plus près, d'une autre façon peut-être.

Score, Renald et Pixel fixèrent les symboles pendant quelques minutes, tout en se tenant sur leurs gardes. Score était si contrarié qu'il semblait prêt à abattre le mur. Seule l'intense concentration de Pixel l'empêcha de le faire.

Au bout de quelques minutes, Pixel s'écria :

– Je l'ai !

– Ah, oui ! s'étonna Renald.

– Oui, répondit Pixel, en ramassant un bâton. Ce sont des caractères écrits blanc sur noir. Essayez d'imaginer que chaque lettre est mise dans un carré. Nous ne voyons que la partie du carré qui n'est pas remplie par une lettre.

— Alors, qu'est-ce que ça dit ? demanda Score avec impatience.

— Taper la commande, répondit Pixel en soupirant. Cependant, nous ne savons pas quelle est cette commande.

— Essaie « Ouvre », lui suggéra Renald.

Pixel ramassa le bâton et commença à tracer des formes sur le mur.

OUVRE

Renald observait, stupéfaite de voir que la paroi de cristal absorbait les lettres. Elle sentit une torsion dans le ventre… et ils n'étaient plus à l'extérieur de la tour ! Ils se trouvaient dans une salle claire et spacieuse. Les chevaux avaient disparu, laissant place à un homme qui leur faisait face. Le type était assis dans un grand fauteuil, les jambes croisées, une tasse à la main. Des chaises étaient disposées autour d'une petite table sur laquelle étaient posées trois tasses fumantes. Des rayonnages placés le long des murs croulaient presque sous le poids des livres.

La personne — manifestement Aranak — leur sourit par-dessus le bord de la tasse.

— Asseyez-vous et prenez du thé, leur dit-il. Vous devez mourir de soif après ce voyage.

— Vos n'auriez pas une boisson gazeuse ? demanda Score, en s'affalant sur la chaise.

— Malheureusement, non.

— Peu importe, je m'en occupe, fit Score.

Il contracta le visage un moment et le thé verdâtre devint un liquide plus épais, de couleur brune.

— Et voilà ma boisson gazeuse.

Renald prit un siège et sirota son « thé », un thé légèrement épicé et délicieux. Pixel fut le dernier à s'asseoir pour déguster son breuvage.

— Bon, dit Aranak gaiement. Je suis certain que vous avez beaucoup de questions ; alors, posez-les moi. Cependant, je ne répondrai qu'à celles qui me plairont.

6

Pixel prit la parole en premier :

— Pourquoi ne nous avez-vous pas aidés ?

— Eh bien, pour deux raisons, répondit Aranak en levant un sourcil.. Premièrement, je ne suis pas tenu de le faire. Deuxièmement, je voulais vous faire comprendre que vous vous trouviez dans un monde dangereux.

— Et vous vouliez voir si nous réussirions à survivre, résuma Pixel en plissant les yeux. L'embuscade que nous ont tendue les villageois n'était pas une coïncidence, n'est-ce pas ?

— En effet, répondit Aranak, après avoir pris une autre gorgée de thé. J'ai délibérément indiqué aux villageois où vous vous trouviez.

Pixel regarda le magicien avec intérêt. Ce dernier venait d'admettre qu'il les avait trahis, lui et ses amis, et qu'il avait mis leur vie en danger. Était-il digne de confiance ou leur tendait-il un piège ? Ils ne savaient rien à son sujet — ni sur le sort qui les attendait.

Les soupçons de Pixel se confirmaient. Aranak avait une raison de les aider et de les mettre à l'épreuve.

— Nous avons été choisis,conclut Pixel.

Il ne savait pas pourquoi il en était si sûr, mais il l'était.

— Oui, vous avez été choisis, confirma Aranak en souriant. Cependant, ce n'est pas moi qui a procédé au choix.

— Alors, pourquoi nous accueillez-vous chez vous ? lui demanda Pixel.

— Il s'agit d'une question à laquelle je ne peux répondre directement en ce moment, répondit Aranak après avoir réfléchi un instant. Cependant, je promets de vous le dire avant que vous ne quittiez ma tour pour le voyage qui vous attend. Pour l'instant, il vous suffit de savoir que j'ai une tâche à accomplir.

Je suis chargé de vous apprendre à vous servir de vos dons de magicien.

— Nous apprendre ? s'exclama Score. Nous allons suivre des leçons, comme à l'école ?

— En grande partie oui, convint le magicien.

Il se pencha en avant et poursuivit :

— Vous avez tous les trois un certain don pour la magie. Transformer le thé en cola n'est qu'un genre de prestidigitation. Ma tâche est de vous former afin que vous puissiez avoir recours à la magie et l'utiliser à bon escient.

— Pourriez-vous nous expliquer de quelle sorte de magie vous parlez ? demanda Renald, se faisant l'écho des pensées de Pixel. D'où je viens, la magie est un truc et non quelque chose de réel.

— C'est parce que vous venez des mondes en périphérie, précisa Aranak. Je suis sûr, ajouta-t-il en se tournant vers les autres, qu'on vous a enseigné que les planètes tournent autour des étoiles et que de grandes distances séparent les divers mondes.

— Oui, acquiesça Score. Les terriens ont envoyé des fusées explorer les autres planètes mais, et ça je le sais, aucune de ces dernières ne ressemble à cet endroit.

— C'est là que tu te trompes, lui répliqua Aranak avec fermeté. La façon dont les planètes sont disposées dans l'espace n'a pas d'incidence sur le Diadème.

— Le quoi ? s'exclamèrent les trois en même temps.

— Le Diadème.

Le magicien joignit les mains et leur sourit.

— Imaginez une sphère stratifiée. Les différentes strates, comme les couches d'un oignon, représentent les divers circuits du Diadème. C'est la magie qui permet de passer de l'une à l'autre. Chacun de vous est issu d'un monde périphérique. Cependant, il en existe d'autres. Dans ces mondes, la véritable magie se fait très rare. Vous possédez tous les trois certains éléments de magie mais, dans votre monde, vous ne pouviez accomplir que de petites choses car vos pouvoirs étaient trop faibles.

— À l'intérieur de la couche extérieure des planètes, les mondes en périphérie, il existe une autre strate de mondes. C'est le circuit externe. Treen, la planète sur laquelle vous êtes, en fait partie. Du fait qu'elle soit plus près du cœur du Diadème, la magie y est plus forte. Vos pouvoirs y seront plus grands que dans les mondes d'où vous venez, mais vous devrez apprendre à vous concentrer et à les utiliser. On m'a donné pour tâche de vous guider dans votre apprentissage.

— C'est donc parce que nous sommes plus près de la source de la magie que j'ai réussi à transformer une flèche en pétales de rose sans la toucher, s'étonna Score.

— Et, logiquement, de dire Pixel, d'autres circuits, comme vous les appelez, existent dans le circuit extérieur. Étant plus près du centre, ils donnent accès à des pouvoirs magiques plus puissants.

— Exact, confirma Aranak d'un air approbateur. Tu comprends très vite.

— Pourquoi restez-vous ici au lieu d'aller dans un monde où votre magie serait plus forte ? lui demanda Pixel.

L'espace d'un instant, le magicien eut l'air contrarié.

— Parce que mes propres pouvoirs sont limités. Si j'essayais de passer au circuit du milieu, je serais tellement vidé que j'en serais détruit. Mes attributs magiques ne sont pas assez puissants pour me permettre de me rendre au niveau suivant et d'y conserver assez de pouvoir.

— Je vois, dit Pixel.

En somme, cela voulait dire qu'Aranak était probablement le plus grand magicien de son monde mais que, s'il allait plus loin, il perdrait sa notoriété locale. Il appréciait manifestement la gloire qu'il possédait ici.

— Maintenant, dit Aranak, passons aux présentations. Nous aurons ensuite une courte leçon, puis vous voudrez sûrement aller vous laver et vous reposer.

Renald acquiesça d'un signe de tête.

— Je m'appelle Renald. Et voici Pixel et Score. Nous savons déjà votre nom.

— Non, lui répondit le magicien. Vous ne le savez pas.

En voyant leur air surpris, il sourit.

— Vous savez le nom par lequel je veux que vous m'appeliez.

— C'est la même chose, protesta Score.

— Pas du tout.

— Voici votre première leçon de magie, annonça Aranak d'un ton sérieux. Pour exercer un pouvoir quelconque, il vous faut trois choses : un nom, une forme et une substance. Je suis le sorcier des noms parce que je connais le vrai nom de beaucoup de choses. Pour exercer un pouvoir sur quoi que ce soit, un magicien doit d'abord en connaître la véritable appellation. Dans le cas d'un objet inanimé, il s'agit généralement d'un nom commun.

Il pointa vers la table et poursuivit :

– Pour être en mesure de contrôler cet objet, à titre d'exemple, il me faut d'abord savoir que son véritable nom est « table » Pour maîtriser les gens, vous devez d'abord connaître leur vrai nom. Quelle que soit la force que vous acquerrez, vous ne serez jamais capable de me contrôler à moins d'avoir au préalable découvert mon vrai nom.

– Pourquoi voudrions-nous vous contrôler ? demanda Pixel.

Encore une fois, il savait instinctivement qu'il lui fallait poser la question.

– Même si vous le vouliez, répondit Aranak, vous ne le pourriez pas à moins de savoir mon véritable nom. Voici donc la première leçon : ne donnez jamais votre vrai nom à un utilisateur de magie, comme vous l'avez fait avec moi. Je n'utiliserai pas cette information à mauvais escient, je vous le promets, mais d'autres pourraient le faire et certains le voudraient probablement. Je vous conseille donc d'être prudents à l'avenir.

Pixel n'était pas certain qu'Aranak leur dise toute la vérité mais, pour le moment, il était prêt à accepter au pied de la lettre ce que disait le magicien. Après tout, c'était l'expert-résident en magie.

— Nous continuerons les leçons demain, leur annonça Aranak. Je suis certain que vous voulez maintenant vous laver, manger et vous reposer. J'ai donné à chacun de vous une chambre dans la tour. Une fois que vous aurez été initiés, vous serez capables de vous y rendre par magie. Pour l'instant, il est probablement plus sûr d'y aller à pied. Suivez-moi.

Les nouveaux arrivants sortirent à sa suite de la salle d'étude et se laissèrent guider à travers un long couloir éclairé.

— Ici, la magie se produit essentiellement de façon automatique, précisa Aranak. C'est bien entendu plus commode ainsi. Cependant, il faut déclencher certaines choses, ce que vous n'êtes pas en mesure de faire pour le moment. Si vous voulez vous glisser dans la baignoire, celle-ci se remplira automatiquement d'eau, à la bonne température. Cependant, vous devrez vous sécher avec les serviettes que j'ai mises à votre disposition.

Il s'arrêta à côté d'une porte et enchaîna :

— Ordinairement, mes portes ne sont pas visibles mais, pour votre commodité, celles dont vous aurez besoin le sont pour l'instant. Voici la salle à manger. Ici, vous pouvez vous commander à boire et à manger. Vous verrez apparaître toute la nourriture que je peux vous procurer par ma magie. Je ne vous garantis pas que ce sera exactement ce dont vous aviez l'habitude chez vous mais, par tâtonnements, vous réussirez à trouver quelque chose que vous aimez.

Il les conduisit à trois autres portes.

— Ce sont vos chambres. Vous pouvez prendre celle que vous préférez, mais elles sont toutes pareilles. Je vous verrai demain matin pour la suite des leçons. Bonne nuit.

Sur ce, il disparut.

— Il va falloir qu'on s'habitue à ce genre de vie, murmura Score.

Puis il se secoua.

— Je prendrai cette chambre, c'est la plus près de la nourriture, dit-il en souriant avant d'y entrer.

Pixel et Renald se regardèrent.

— Prends la chambre que tu veux, dit Pixel avec générosité. Elles sont toutes semblables après tout.

— J'occuperai la plus éloignée, annonça Renald. En cas d'attaque, je serai prêt à vous défendre, Score et toi.

— Quelle pensée réjouissante, lui répondit Pixel. Cependant, je doute que quelqu'un puisse pénétrer ici.

— Ne sois pas naïf, répliqua Renald. Aranak a reconnu que ses pouvoirs avaient leurs limites. Peut-être quelqu'un ou quelque chose pourrait-il entrer ici.

— Peut-être, accepta Pixel, mais pourquoi voudrait-on venir à cet endroit ?

— Qui sait ? répondit Renald en haussant les épaules. S'il est vrai que les magiciens peuvent accomplir tout ce qu'ils désirent, ils pourraient probablement pénétrer ici s'ils le voulaient.

Pixel entra dans sa chambre en soupirant. Renald était certes un bon bagarreur, mais il était arrogant. Pourvu que son insolence ne leur attire pas des ennuis. Score, quant à lui, était imprévisible, ce qui ne cadrait pas du tout avec les amis de Pixel. Ce dernier s'ennuyait de ses copains du Net, même s'il n'était pas absolument sûr qu'ils soient réels.

Pixel remarqua que sa chambre était très simple, comme il aimait qu'elle le soit. La pièce comportait un lit, une chaise et un bureau. Le bain était dans une alcôve. Tout était ordinaire, comme c'était le cas chez lui. Manifestement, les magiciens n'avaient pas besoin de réalité virtuelle. Ils pouvaient créer leur propre réalité s'ils le voulaient.

Pixel eut l'idée d'un long bain chaud. Il enleva ses vêtements souillés et les laissa tomber sur le plancher. Il entra dans la baignoire vide, qui se remplit instantanément d'une eau chaude savonneuse, à la bonne température. En soupirant de bonheur, il se laissa glisser dans l'eau pour une longue et agréable trempette.

Le tout dura environ dix minutes. Alors que Pixel prenait plaisir à se prélasser dans le bain — l'eau conservait la même température et ne se salissait pas —, il fut saisi d'un frisson soudain. Il se leva d'un coup et, horrifié, fixa l'eau de la baignoire. L'eau bouillonnait et écumait comme celle d'un bain tourbillon, mais sans raison. Inquiet, Pixel sortit de la baignoire et se drapa dans une serviette de bain somptueuse.

L'eau changeait d'apparence. Elle forma un genre de trombe et s'éleva dans les airs en une masse solide tourbillonnante. Pixel avait trop peur pour oser détourner le regard. La trombe ne faisait manifestement pas partie des agréments de la chambre. La colonne d'eau s'élargit et prit la forme et même les traits d'une personne. Pixel ne voulait pas regarder, mais il ne pouvait détourner les yeux. Il s'agissait de la silhouette d'un homme, portant une ample robe liquide et dont le visage lui était vaguement familier...

Son père ? Le visage qui le regardait avec d'intenses yeux limpides ressemblait un peu à celui de son père. Pixel eut un autre choc en se rendant compte qu'il se trompait. Ce n'était pas son père, c'était lui. C'était une version adulte de Pixel, une vision de lui dans l'avenir.

Pixel se demanda si devenir un vrai magicien était vraiment son sort. Deviendrait-il habile au point d'envoyer à son jeune soi une mise en garde quelconque ou un message pour l'aider ?

— Tu es moi, réussit-il à dire d'une voix entrecoupée. Tu es moi, n'est-ce pas ?

La silhouette ne semblait pas en mesure de l'entendre. Elle lui signala d'un geste la surface de la baignoire dans laquelle elle se tenait. Avec nervosité, Pixel suivit son geste.

Il pouvait voir dans l'eau des formes et des images, entre autres le tableau qu'il avait aperçu en rêve. Il entrevit une feuille de papier sur laquelle quelque chose était écrit; mais la feuille disparut aussitôt pour laisser place à des bulles qui s'alignèrent pour former un message :

111 > 1+1+1

Les bulles crevèrent et le message disparut. Pixel en avait assez vu pour savoir que ce dernier était important. Cent onze était plus grand que un plus un plus un. C'était évident. Pixel n'y comprenait rien. Il releva la tête ; il vit que la version liquide de lui-même avait disparu avec les bulles. Il était de nouveau seul.

Il était sûr de ne pas l'avoir été pendant un moment. Il s'essuya et se rhabilla, tout en réfléchissant comme un forcené. Son moi futur lui avait-il vraiment envoyé un message ? Si oui, qu'en était la signification ?

Peut-être que, de l'au-delà, quelqu'un lui jouait-il un tour ou lui tendait-il un piège...

Il l'ignorait, mais il savait pertinemment qu'il ne serait pas en mesure de résoudre le mystère par lui-même. Il avait besoin d'aide, ce qui voulait dire en parler à Renald et à Score.

Il se dirigea vers la porte de Renald, l'ouvrit et entra.

Il se retrouva nez à nez avec la pointe de l'épée de Renald, une épée qui lui transperçait presque la peau. Renald apparut dans son champ de vision, à moitié habillée et furieuse.

— Ne fais plus jamais ça, siffla-t-elle. Tu ne dois jamais entrer dans ma chambre. Est-ce clair ?

— Oui, acquiesça Pixel. Je ferais bien un signe de tête affirmatif, mais ça me couperait la gorge. Peux-tu éloigner ton épée ?

Au bout d'un moment, Renald retira l'épée et la remit dans sa gaine. Toujours furieuse, elle fixa Pixel.

– Et maintenant, sors, lui ordonna-t-elle.

– Quelque chose d'étrange m'est arrivé, expliqua Pixel. Il nous faut en parler.

– C'est simplement que j'aime ma solitude et que je veux la protéger, dit Renald d'un ton plus doux. Je m'habille et je te rejoins à la salle à manger. Nous pourrons alors en discuter.

Pixel courut vers la salle à manger où l'avait devancé Score. Ce dernier regardait la table à moitié remplie d'aliments en fronçant les sourcils.

– Sapristi, murmura-t-il. Ils ne sont pas foutus de produire un simple hamburger. Je vais devoir le faire à ma façon.

Il prit un morceau de volaille, ferma les yeux et se concentra. Sa magie semblait l'amuser. Le pilon scintilla un instant dans sa main et devint... un poisson vivant et frétillant ! Avec un cri de répugnance, Score le jeta loin de lui.

Amusé, Pixel ne résista pas à l'envie de lui faire un commentaire.

– Je pense qu'il n'était pas assez cuit.

— Quelque chose a mal tourné, se plaignit Score, s'essuyant les mains avec une serviette. Ce n'était pas du tout l'image que j'avais en tête.

— Alors, essaie de nouveau, de suggérer Pixel.

Il prit un morceau de volaille et y mordit à belles dents. Score avait l'air inquiet.

— Non, pas avant que je sache ce qui n'a pas fonctionné. J'ai eu ma ration de viande crue pour aujourd'hui.

Il leva la tête et commanda.

— La même chose que lui.

Une seconde cuisse de ce que Pixel mangeait apparut sur la table et Score commença son repas, sans se plaindre pour une fois.

— Une chose très étrange m'est arrivée, lui annonça Pixel, résolu à trouver une explication à ce qu'il avait vu. J'ai eu une sorte de vision.

— Raconte-nous ça.

C'était Renald qui venait d'entrer dans la salle à manger.

— La vision m'a effrayé et m'a laissé perplexe, expliqua Pixel. Je me demandais si l'un de vous deux ne pourrait pas m'expliquer ce qui est arrivé.

Après avoir raconté son histoire, il lut la frustration sur le visage de Renald.

— En route, dit soudainement Renald. Moi aussi, j'ai eu une hallucination. J'ai vu une feuille de papier, mais j'étais incapable de lire ce qui y était écrit. J'ai aussi vu un livre.

Renald jeta un coup d'œil perplexe à Pixel.

— Ma vision ressemble un peu à la tienne.

Ils se tournèrent tous les deux vers Score.

— Et toi, as-tu vu des choses ? lui demanda Renald.

— Trop, répondit Score, mais pas comme celles-là.

Il tira de sa poche une feuille de papier.

— Si vous voulez voir quelque chose d'étrange, regardez ça, dit-il avoir déplié la feuille et l'avoir étalée sur la table. J'ai trouvé ce message bizarre dans mon appartement il y a quelques semaines.

Il pointa du doigt vers une ligne.

— La même chose que tu as vue en prenant ton bain.

— Cent onze est plus grand que un plus un plus un, de dire Pixel. Cela n'a pas de sens.

Ses yeux se plissèrent en voyant la ligne.

— Treen est le début, murmura-t-il. Tu connaissais cette place ?

— Non, répondit Score, juste le nom. Quand je l'ai entendu pour la première fois, j'ai eu un choc.

Il dévisagea les deux autres.

— Vous comprenez ce que ça signifie, n'est-ce pas ?

— Oui, répondit Pixel lentement. Ça signifie que tout était planifié, que ce n'est pas par hasard si nous sommes ici. Quelqu'un s'est donné beaucoup de mal pour nous amener à Treen. Et ce quelqu'un utilise manifestement des moyens magiques pour essayer de nous transmettre un message.

Renald hocha la tête.

— Les pages que nous apercevons en vision signifient quelque chose.

Elle pointa du doigt vers la page que tenait Score.

— Ce n'est que la première, n'est-ce pas ?

— Et personne d'entre nous ne comprend ce qui se passe, fit remarquer Score.

— Certains éléments sont évidents, commenta Pixel en signalant un groupe de trois caractères. Deux personnes de sexe masculin et une de sexe féminin, qui conjuguent manifestement leurs efforts. Peut-être s'agit-il d'un groupe de gens que nous devrions protéger ?

– Oui, mais les protéger de quoi ? demanda Score, frustré. On avertit le lecteur de se méfier d'eux ou peut-être bien de les trouver. La seule chose dont nous pouvons être être sûrs, c'est que ce message ne nous concerne pas puisque nous sommes tous de sexe masculin.

Pixel tourna son regard vers Renald. Cette dernière avait les yeux plissés, comme si elle étudiait quelque chose. Cependant, Pixel ne dit mot. Il ne comprenait pas ce qui dérangeait Renald, mais une chose devenait claire.

– Nous sommes tous les trois dans le même bateau, dit-il doucement. Nous sommes incapables de résoudre le mystère par nous-mêmes. C'est pourquoi nous devons unir nos efforts, peu importe les difficultés que nous sommes susceptibles de rencontrer. Nous ferions mieux de suivre les leçons d'Aranak attentivement et d'en apprendre le plus possible sur la magie, et ce, le plus rapidement possible. Peut-être les choses serontelles plus claires par la suite.

– Super, murmura Score, encore des cours !

« Oui, Pixel se dit-il, en son for intérieur, encore des cours. » La seule façon de découvrir la vérité était peut-être de s'abandonner entièrement au monde de la magie.

7

Score, malgré la meilleure volonté du monde, était bien vite ennuyé par les leçons. La théorie était probablement nécessaire, mais il avait hâte de passer à la pratique.

Aranak leur avait dit que le contrôle de la magie passait par la concentration.

– Gravez dans votre esprit ce que vous voulez faire ou modifier, leur expliqua-t-il. Apprenez son nom et formez-en une image mentale claire. Ensuite, essayez de l'atteindre par la pensée.

– Et les formules magiques ? demanda Pixel.

— Je vous les enseignerai plus tard, lui promit Aranak. Avant de courir — ou de voler —, il faut apprendre à marcher.

— Je peux déjà marcher, grommela Score. Vous avez vu que j'étais capable de transformer les choses.

— C'est vrai, reconnut Aranak. Et Renald est capable d'annoncer les ennuis. Et Pixel est capable de comprendre des choses. Cependant, aucun de vous ne sait comment mettre à profit ces capacités. Vous agissez selon votre instinct, non de façon consciente ou réfléchie. Vous devez *comprendre* ce que vous êtes capables de faire avant de passer aux actes. Alors, accordez-moi toute votre attention. Je veux que vous pratiquiez la visualisation mentale.

Il déposa devant chacun d'eux un verre qu'il remplit d'eau par magie.

— Regardez le verre et fermez les yeux. Formez-en une image mentale.

À contrecœur, Score fit ce que le maître avait demandé. C'était d'un tel ennui ! Il voulait agir. Il ferma les yeux, forma dans sa tête une image mentale du verre et essaya d'y mettre toute sa concentration.

Sa chemise devint soudain toute trempée. Il poussa un glapissement, ouvrit les yeux et vit que le verre s'était renversé sur lui.

— Eh ! se plaignit-il, comment est-ce arrivé ?

Il savait que les deux autres se moquaient de lui.

— Tu n'étais pas assez concentré, l'informa Aranak. Ton esprit a poussé le verre en avant et l'a renversé. Tu dois te concentrer davantage.

Il remplit le verre de nouveau.

— Nous devons d'abord pratiquer avec de petites choses, car il y a moins de risque de dégât. Essaie encore.

En poussant un grognement, Score se concentra davantage sur l'image qui apparaissait dans sa tête. Il était suffisamment mouillé pour la journée.

— Maintenant, entendit-il dire Aranak, ouvre les yeux, regarde le verre et soulève-le en n'utilisant que ton esprit.

Score ouvrit les yeux, lança un regard furieux au verre et essaya de le soulever en esprit.

Le verre décolla comme une fusée, heurta le plafond et vola en éclats ! Pour la deuxième fois, Score était trempé, mais cette fois-ci des morceaux de verre étaient mêlés à l'eau. Il les secoua de ses cheveux et de ses vêtements.

— Le moins qu'on puisse dire, c'est que tu es plein d'enthousiasme, dit Aranak sur un ton pince-sans-rire.

Renald et Pixel sourirent, mais le magicien les regarda d'un air désapprobateur.

— Qu'attendez-vous pour pratiquer à votre tour ?

Ils arrêtèrent de sourire et commencèrent à fixer leur propre verre avec nervosité. Les deux verres vacillèrent, renversant de l'eau sur la table, mais s'élevèrent lentement dans les airs. Score pouvait voir que les deux autres garçons se concentraient fort pour garder leur verre dans les airs. Ils semblaient sûrs d'eux et affichaient un air supérieur, croyant faire mieux que lui.

En colère, Score tendit le bras mentalement et renversa les deux verres. Renald et Pixel lâchèrent un cri en se retrouvant trempés. Ils affichaient tous les deux un air ahuri jusqu'à ce qu'ils voient le sourire de Score.

— C'est toi qui as fait ça ! Renald accusa-t-elle Score en essayant de dégainer.

— Laisse ton arme tranquille ! fulmina Aranak. Je pense que je devrais t'interdire de porter une arme dans la tour, jeune homme. Oui, c'est lui qui l'a fait mais, si vous aviez prêté tous les deux plus d'attention à ce que vous faisiez, il n'aurait pas réussi. Maintenant, séchez-vous.

Comme par magie, trois serviettes apparurent.

— Ensuite, nous essaierons à nouveau.

Les leçons continuèrent le reste de la matinée. Aranak ne montrait à ses élèves que des choses de peu d'importance ; par surcroît, le tout était tellement lent que Score pensait mourir d'ennui. Après le déjeuner, les leçons recommencèrent. Score n'avait pas le sentiment d'avoir appris quoi que ce soit.

À la fin de l'après-midi, Aranak annonça à ses apprentis :

— Félicitations, vous avez bien travaillé tous les trois pour cette première journée. Nous allons arrêter et nous reprendrons demain.

— Quand allons-nous passer aux choses intéressantes ? demanda Score.

— Vous devez maîtriser les éléments de base avant que nous puissions passer à autre chose, répondit Aranak sans se formaliser de la question. N'oubliez pas ceci : plus importante est la magie que vous utilisez, plus grands sont les risques que quelque chose tourne mal.

— Mal, s'étonna Pixel, comment ?

— Si vous essayez d'accéder à une forme trop importante de magie avant de savoir comment la contrôler, elle peut vous détruire, leur expliqua le magicien.

En route vers la salle à manger avec Renald et Pixel, Score dit en soupirant :

— Suis-je le seul à penser que nous devrions faire quelque chose de plus intéressant ? Autrement, pourquoi employer la magie ? N'oubliez pas que nous avons décidé d'en savoir le plus possible, et ce, le plus rapidement possible. Je ne pense pas que ce soit l'objectif d'Aranak.

— Non, reconnut Pixel. Il va très lentement et très prudemment. À ce rythme, nous serons là pour le reste de nos jours. Et je ne pense pas que nous en ayons le temps.

— Je suis d'accord, approuva Renald d'un hochement de tête. Il se peut qu'Aranak aille lentement parce qu'il veut que nous acquérions une base solide. Peut-être essaie-t-il tout simplement de jauger nos pouvoirs, d'évaluer notre potentiel. C'est ce que fait un guerrier avec un ennemi potentiel.

– Penses-tu qu'Aranak soit notre ennemi ? demanda Pixel.

– Je ne sais pas, répondit laconiquement Renald. Il n'est pas vraiment notre ami. Nous devrions nous en méfier. Et je suis d'accord avec Score sur un point. Nous devrions essayer nos pouvoirs magiques sans la surveillance d'Aranak.

Renald se retourna vers Score.

– As-tu quelque chose de particulier à l'esprit ?

– De particulier peut-être pas, mais j'ai une vague idée en tête... répondit Score. Avez-vous remarqué tous ces livres dans la salle d'étude d'Aranak ? Je parie qu'il y en a qui traitent des formules magiques.

Il eut l'impression de voir une légère crispation chez Renald, comme si ce qu'il venait de dire éveillait un souvenir chez l'autre garçon. Renald ne fit aucun commentaire, se contentant de dire :

– Alors, tu voudrais trouver un livre de formules magiques et faire l'essai de ces dernières ?

— Pourquoi pas ? insista Score. Pour ce faire, nous devrions sortir de la tour. Je parie que si on s'exerçait ici, Aranak le saurait.

— C'est la première chose intelligente que je t'entends dire, commenta Renald en ébauchant un sourire. Il nous faut trouver un moyen de sortir de la tour. Vous avez sûrement remarqué que les seules portes que nous avons vues mènent à nos chambres, à la salle d'étude et à la salle à manger.

Ils étaient arrivés à la salle à manger et s'étaient commandé de la nourriture.

— Il existe probablement un moyen magique de sortir de la tour, fit remarquer Pixel après avoir hoché la tête. Il nous faut le découvrir mais, ajouta-t-il avec prudence, nous ne serions pas nécessairement en sécurité à l'extérieur. Les villageois rôdent peut-être encore dans les alentours.

— Si près de la tour d'Aranak ? dit Score en ricanant. Ils n'oseraient pas. De toute façon, je ne pense pas que nous ayons besoin d'aller très loin, peut-être qu'un seul kilomètre suffirait.

Il transforma son thé en cola.

— De plus, il nous faut déterminer si nous sommes ici de notre propre gré ou si nous sommes prisonniers.

— Aranak, fit remarquer Renald, nous a mis en garde contre l'utilisation d'une magie trop forte. Il a dit que cela pourrait se retourner contre nous, tout comme ce fut le cas avec Hakar. Juste au cas où ça ne marcherait pas, nous devrions commencer par quelque chose d'assez anodin.

Score remarqua que les autres garçons semblaient en partie d'accord sur son plan.

— Je parierais qu'Aranak est inquiet de nous voir devenir bons trop vite, dit-il en souriant. Après tout, il est resté surpris tout à l'heure lorsque j'ai renversé vos verres.

— Ce qui me rappelle que je vais te le rendre éventuellement, rétorqua Renald.

Cette menace n'inquiéta pas Score, qui se considérait comme le plus grand magicien des trois. Il pouvait effectuer des transformations par magie, ce que les deux autres étaient encore incapables de faire. Renald savait mieux que lui manier l'épée, mais Score avait probablement l'avantage lorsqu'il était question de magie.

— Tu as peut-être raison, Renald, de dire qu'il faudrait commencer demain par quelque chose d'anodin. J'espère seulement que ce sera amusant.

— C'est une bonne idée, répliqua Pixel. Après dîner, que diriez-vous d'aller voir ce que contient la bibliothèque ?

— Tout à fait d'accord, acquiesça Score. Il n'y a pas de télé ici. Il n'y a donc rien à faire, à moins que vous ne vouliez pratiquer quelques lancers.

— Tu n'as pas d'arme, lui fit remarquer Renald en fronçant les sourcils.. Avec quoi veux-tu pratiquer ton lancer ? Et qu'est-ce qu'une télé ?

Score soupira. Quel raseur que ce Renald.

— Oublie ça, murmura-t-il. Est-ce qu'on va plutôt à la bibliothèque ?

— Allons-y, dit Pixel. Ne perdons pas notre temps.

Ils finirent de manger et retournèrent à la bibliothèque. Arrivés là, ils s'arrêtèrent, tout surpris.

La porte avait disparu.

Au bout d'une minute de silence, Pixel s'exclama :

— Cela veut dire que l'entrée nous est interdite. Allons-nous-en.

— Abandonnes-tu toujours aussi facilement ? lui demanda Score avec mépris. Nous savons qu'il y a une porte parce que nous l'avons utilisée.

— Mais elle n'est plus là, protesta Pixel, ce qui veut dire que nous ne pouvons plus entrer.

— Non, répliqua Renald avec fermeté. La porte est là. Elle est tout simplement invisible. Il nous faut simplement la faire apparaître.

Score sourit. Pour une fois, il reconnaissait que Renald avait une bonne idée.

— Bon. Il suffit de nous concentrer sur la porte pour la faire apparaître.

— D'accord, acquiesça Renald. Tous ensemble maintenant.

Score fut un peu agacé de voir que Renald prenait le commandement encore une fois. Cependant, ce n'était pas le moment de protester. L'essentiel était de voir s'ouvrir la porte. Score se concentra, formant dans sa tête une image de la porte pour que celle-ci devienne visible.

Au bout de quelques secondes, la porte apparut.

— Ça y est ! dit-il en poussant un cri de triomphe. Nous avons réussi. Nous devons être de bons magiciens, après tout. Renald lui lança un regard ironique.

— La présomption risque d'entraîner ta perte.

— Un problème d'attitude pourrait aussi entraîner la tienne, lui lança Score d'un ton brusque. Examinons maintenant les livres.

Il n'attendit pas de voir ce que Renald allait faire et se précipita vers le rayon le plus proche. Il commença à lire les titres au dos des livres, mais aucun ne lui semblait traiter de magie. *Changaron,* disait l'un. Qu'est-ce que c'était ? Il ouvrit le livre et pensa qu'il s'agissait d'un roman imprimé dans une langue qu'il ne connaissait pas. Le suivant s'appelait *L'histoire de Tomai.* « Je dois être dans la section des livres d'aventure, grommela-t-il dans son for intérieur. » L'ouvrage suivant portait un titre incompréhensible : *Eigam al ed ervil el.* Il était probablement rédigé dans une langue étrangère.

Score jeta un coup d'œil à ses compagnons pour voir s'ils étaient plus chanceux que lui. Renald était debout au milieu de la chambre, l'air absent. Score crut d'abord que

Renald cherchait à se dérober à ses responsabilités, mais il réalisa que le garçon ne ferait jamais une chose pareille. Il fronça les sourcils. Est-ce que Renald était en train d'avoir une autre de ses visions ?

Renald revint brusquement à elle.

— Ça m'est arrivé de nouveau, dit-elle, confirmant les soupçons de Score. J'ai revu le livre. Il doit être près de nous. Et j'ai vu une page, semblable à celle que possède Score, qui avait été insérée à l'intérieur de l'ouvrage.

— Vois-tu ce livre ici ? lui demanda Score d'un ton impatient. Nous sommes peut-être sur une piste intéressante !

— Non, répondit Renald en laissant aller un soupir. Il n'est pas là.

— Dans ce cas, nous ferions mieux de continuer, dit Score, découragé.

Au bout de cinq minutes, Pixel les appela, tout excité.

— Je pense avoir trouvé quelque chose.

Les autres accoururent pour voir ce qu'il avait découvert.

C'était un rayon de livres d'apparence ordinaire, mais la façon dont les ouvrages étaient placés donnait la configuration suivante :

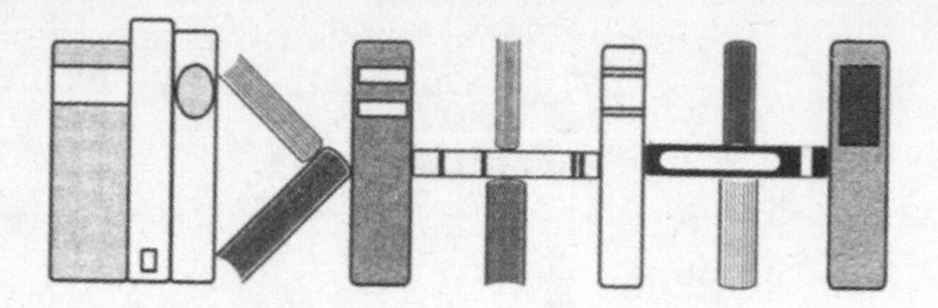

— Et voilà ! murmura Score.

Pixel prit le premier livre du rayon et l'ouvrit. L'ouvrage, qui ne portait pas d'inscription, était écrit dans une écriture bizarre. Très mince, il comptait environ quarante pages. Celle où Pixel l'avait ouvert portait l'indication « Invocation ». Score la parcourut pardessus l'épaule de Pixel et vit que les illustrations étaient des instructions sur la façon de faire apparaître un animal. Malheureusement, les directives étaient écrites en code.

— Je suis certain que c'est le bon livre, dit Pixel, excité. Il y a des pages sur la façon de transmuter les liquides, prédire l'avenir et bien d'autres choses encore.

— Peut-être, admit Score, mais il se peut que ce ne soit que de la fiction.

— Il n'y a qu'une façon de le savoir, de dire Renald, c'est d'essayer une des formules magiques.

Elle examina le rayon, sortant un deuxième volume, encore plus mince.

— Celui-là semble identique.

Score regarda les livres et trouva un troisième tome. De couleur verte, l'ouvrage ne comptait que peu de pages.

— Et en voici un autre. Il y en a probablement plusieurs.

— Oui, mais ces trois devraient être suffisants, rétorqua Renald. Chacun d'entre nous peut en lire un ce soir et, demain, nous conviendrons de la formule magique que nous essaierons.

— Ça me va, acquiesça Pixel, heureux d'avoir fait la découverte. Nous devrions maintenant nous en aller avant qu'Aranak nous trouve ici.

— D'accord, dit Renald.

Une fois de plus, Renald prenait les devants. Score était agacé ; il se sentait écarté.

À l'extérieur, Renald fit signe aux deux autres d'attendre.

— Nous ferions mieux de faire disparaître la porte, sinon Aranak saura que nous sommes entrés ici.

— Il le sait probablement déjà, protesta Score. C'est un magicien, après tout.

— Peut-être, convint Renald, mais ce n'est pas une raison pour qu'on lui facilite la tâche. Concentrons-nous sur la disparition de la porte.

Score cessa d'argumenter. Il soupira et se concentra. La porte disparut par enchantement, comme si elle n'avait jamais existé.

— Bon, dit Score. Je vous ai assez vu tous les deux pour la journée. Je retourne étudier dans ma chambre.

Sans tenir compte des regards de ses compères, il se dépêcha de retourner vers sa chambre. Il avait hâte de finalement se familiariser avec la vraie magie !

8

Le lendemain, Renald se leva de très mauvaise humeur. Elle avait passé la soirée à étudier, avec une irritation croissante, le livre qu'elle avait trouvé. L'ouvrage contenait en effet des formules magiques, mais aucune d'elles n'était susceptible d'être utile à un guerrier. Renald ne voulait pas savoir comment faire disparaître des verrues, ensorceler quelqu'un ou encore se débarrasser de souris. Dans son monde, c'étaient des trucs que faisaient les bonnes femmes, des trucs qui lui avaient toujours semblé complètement inutiles. De plus, certaines formules — probablement les plus importantes — étaient écrites dans un code incompréhensible.

Renald souhaitait seulement apprendre à contrôler les pouvoirs qu'elle était censée posséder et être en mesure de les utiliser pour se battre. Elle était certaine, sans trop savoir pourquoi, que des ennuis se pointaient à l'horizon. Les attaquants dans le château de son père n'avaient été que le premier coup dans un grand jeu de guerre. Un deuxième coup se préparait et elle voulait être prête. Malheureusement, ce livre de formules magiques mineures ne lui était d'aucune utilité.

Elle espérait que Score et Pixel avaient eu plus de chance avec leur livre. Les trois avaient besoin de quelque chose qui leur donnerait l'avantage ici. Renald rechignait à l'idée de dépendre des deux autres garçons. Et pourtant, pour une obscure raison, elle savait que son sort était lié au leur.

Elle se souvint un bref instant de cette étrange personne, Cleora, qui l'avait prévenue de l'aide dont elle aurait besoin. Était-ce Cleora qui avait manigancé tout ça ? Comme il n'y avait aucun moyen de le savoir, Renald s'efforça de penser à autre chose alors qu'elle se préparait pour la leçon du matin avec Aranak.

Pour se consoler, elle se dit que Pixel avait au moins pris au sérieux l'avertissement qu'elle lui avait servi de ne pas pénétrer dans sa chambre de façon inopinée. La première fois, elle avait eu beaucoup de mal à lui cacher son secret et il était capital que le jeune garçon n'ait plus d'autres occasions de deviner que Renald était en fait une fille. En fait, Renald n'était pas certaine pourquoi il fallait que ce soit ainsi. Après tout, pour autant qu'elle sache, dans son monde, les filles avaient le droit de devenir des guerrières, comme les garçons. Elle ne voulait toutefois pas courir le risque et elle n'avait aucune raison de faire confiance à Pixel. Elle était loin d'être certaine qu'il garderait le secret s'il découvrait la vérité.

Il en était de même pour Score.

Renald avait été déçue de ne pas trouver le livre qu'elle avait vu dans ses rêves. Elle était sûre qu'il se trouvait à proximité, sans pouvoir expliquer pourquoi elle en était si certaine. Mais où était-il ? Il devait être si précieux qu'Aranak l'aurait caché quelque part.

Elle laissa tomber un soupir, cessa de se torturer l'esprit avec des questions qui restaient sans réponse et alla rejoindre Pixel et

Score pour la leçon. Comme la veille, Aranak les attendait dans la salle d'étude. S'il était au courant des livres qui manquaient, il n'en laissa rien transparaître. Les trois comparses n'avaient pas mentionné les livres ce matin de peur qu'Aranak ne surprenne leur conversation. Cependant, d'après l'expression lugubre qui se lisait sur les visages de Pixel et Score, Renald avait deviné que les deux garçons n'avaient pas eu plus de succès qu'elle.

La leçon du matin fut tout aussi lente. Elle porta sur des habiletés de base, mais rien qui puisse être utile à nos guerriers dans l'immédiat. Renald remarqua qu'Aranak ne leur apprenait rien qui puisse leur servir dans un combat. Le seul moment exaltant fut quand Aranak leur apprit à utiliser leur pouvoir pour faire éclore des poussins. Score essaya de surpasser les autres et fit éclore... un grand coq en colère ! Renald avait encore son épée et, en dépit de la menace d'Aranak, elle s'en servit pour trancher la gorge du volatile.

— Le déjeuner, annonça-t-elle. Aranak leur donna tout de suite la permission d'aller manger.

Alors qu'ils se dirigeaient vers la salle à manger, Renald dut admettre qu'elle se sentait vidé. La pratique de la magie n'est pas comme le travail physique, puisqu'il faut utiliser les pouvoirs de l'esprit pour puiser à même la force que procure cet art. Cependant, elle sapait indubitablement l'énergie de Renald. Les apprentis étaient loin d'avoir atteint la limite supérieure de leur pouvoir, ce qui était un signe fascinant. Renald avait la nette impression qu'en secret Aranak était impressionné par leur potentiel.

À table, Renald demanda aux autres ce qu'ils pensaient de leur livre de magie. Elle leur apprit que le sien était inutile.

— Le mien aussi, avoua Score, entre deux bouchées de son hamburger et de ses frites transmutés. Je n'y ai trouvé que des formules sur la façon de retrouver des bijoux perdus ou de réparer des ongles cassés, ces choses stupides que les filles aimeraient savoir mais pas les garçons.

La façon méprisante dont Score avait prononcé le mot « filles » avait hérissé les poils de Renald, qui s'était reprise et avait feint d'ignorer la remarque.

— Et toi ? demanda-t-elle à Pixel.

Le garçon maigrelet plissa les yeux et se secoua. Pour une raison quelconque, il observait Renald de près depuis un moment.

— Moi ? Eh bien, les formules magiques que j'ai vues ressemblent beaucoup à celles que vous avez trouvées. Cependant, je pense à la première, vous savez celle qui porte sur l'appel d'un animal.

— Un animal, dit Score d'un ton moqueur. La belle affaire !

— D'accord, répliqua Pixel, mais c'est un bon test. Si on essaie la formule magique pour faire apparaître un chien et qu'on réussit, on saura qu'on peut le faire. Après tout, c'est simplement un essai. Toutefois, cette formule présente un problème.

— Et quel est ce problème ? demanda Renald, agacée du fait que Pixel n'en avait pas parlé dès le début.

— Je ne la comprends pas, avoua Pixel, mal à l'aise.

Il ouvrit le livre et montra aux autres la formule magique.

— J'espérais que nous pourrions la déchiffrer ensemble.

Renald et Score se penchèrent sur la formule. Renald plissa les yeux et regarda. La formule magique se lisait comme suit :

WRH OV MLN WV OZ XIVZGFIV WV XVGGV UZXLM KLFI OZKKVOVI

– On dirait une langue étrangère ou une sorte de langage magique, déclara Score. « Wereh ov.... », lit-il en traînant la voix. Nous ne réussirons jamais à déchiffrer ce charabia, et surtout pas à le mémoriser.

– On dirait plutôt un code, rétorqua Renald. Nous utilisons fréquemment divers codes pour communiquer des messages que nous ne voulons pas que certaines personnes comprennent.

– C'est vrai, convint Pixel. J'y ai pensé aussi. C'est probablement un système quelconque de remplacement, où une lettre en représente une autre. Il suffit de déterminer ces lettres... et c'est là le problème. S'il s'agit d'un système aléatoire, il nous sera pratiquement impossible de déchiffrer le message. Il serait plus plausible que le code soit le remplacement de chaque lettre par celle qui la précède ou la suit dans l'alphabet. Cependant, ça ne marche pas non plus.

Score fronça les sourcils en se concentrant.

— En français, la lettre qui revient le plus souvent est le E, dit-il. Les lettres qui se répètent dans cette ligne sont le O et le V. L'une de ces deux lettres doit donc être le E.

— Plusieurs mots débutent par un O, fit remarquer Renald. Je ne pense donc pas que ce soit le O. Ce serait probablement le V.

Pixel fit claquer ses doigts.

— Deux mots se répètent dans cette courte phrase, dit-il, tout excité : « WV ». Et si le V est le E, nous avons un mot courant de deux lettres qui se termine par E. Le mot « de » !

— Mais ça ne nous aide pas beaucoup, fit remarquer Renald après avoir hoché la tête. Le W est un D et le V est un E. Il ne semble pas y avoir de structure particulière ici.

— Attends une seconde, dit Score. Il y en a une. Le W est un D. Ensuite, la deuxième lettre est un V, qui est le E. V et W, D et E. Les deux se suivent dans l'alphabet !

— C'est ça ! cria Pixel, tout joyeux. C'est ça l'indice, Score. C'est l'alphabet inversé.

En voyant l'air interdit des autres, il expliqua.

— Prenez une feuille de papier et écrivez l'alphabet de A à Z. En dessous, inscrivez l'alphabet de Z à A. Le A devient donc Z, le G devient T et le Z devient A.

— Tu as résolu l'énigme, s'écria Score, l'air plus heureux.

— Nous l'avons résolue ensemble, répondit Pixel. Nous avons cherché une solution ensemble.

Il écrivait à toute vitesse sur une feuille de papier.

— Bon, maintenant que j'ai écrit l'alphabet, essayons de décoder le message.

Il se mit au travail et, au bout de quelques minutes, annonça en souriant à ses amis :

— Le message se lit comme suit « Dis le nom de la créature de cette façon pour l'appeler. » Nous n'avons donc qu'à prendre le mot « chien », qui devient « XSRVM ». Si nous prononçons ce mot, nous serons en mesure de faire apparaître un chien.

— Super, dit Score. Maintenant, comment allons-nous sortir de la tour ?

— De la même façon que nous y sommes entrés, proposa Renald. Nous trouverons un endroit où il devrait y avoir une porte et nous utiliserons le code. Allons-y.

Ils parcoururent rapidement les couloirs jusqu'à ce qu'ils arrivent à un endroit où le mur vitreux était plus mince. Renald pouvait distinguer la forme des arbres à travers le verre fumé.

— Ici , dit-elle avec fermeté. Elle appuya sa main contre le mur. Un message apparut.

TAPER ORDRE

— Permettez-moi, dit Pixel, utilisant son doigt pour tracer la réponse sur le mur :

OUVRE

Cette fois-ci, la tour répondit.

ES-TU SUR?

Pixel étudia les mots un moment, puis inscrivit sa réponse :

OUI

Soudain, ils étaient tous dehors, baignés par les feux du soleil couchant. Pixel signala de la main les bois qui se trouvaient à une centaine de mètres.

— Et si on allait là-bas. On serait hors de vue au moins.

— Hors de vue d'un non-magicien, fit remarquer Renald. Aranak pourrait bien être en train de nous observer.

— Et bien tant pis, dit Pixel en haussant les épaules.. Nous n'y pouvons rien après tout.

Il se dirigea vers les bois, suivi de Score. Renald resta en arrière, fixant la tour.

Du coin de l'œil, elle vit un scintillement. Elle se retourna juste au moment où ce dernier s'évanouissait. La luminescence résiduelle avait la forme d'un homme. Renald se souvint de l'étrange figure qui l'avait trahie sur Ordin.

Peut-être s'agissait-il d'Aranak qui les observait. Ce serait une bonne manœuvre de sa part, surtout s'il ne faisait pas confiance au trio. Or, le magicien était-il capable d'une telle manœuvre ? Renald ne le savait pas. Aranak en savait beaucoup au sujet de la magie, mais connaissance et sagesse sont deux choses différentes. Puis Renald se rendant compte qu'elle avait presque perdu de vue Pixel et Score, elle partit à leur suite.

Lorsque les trois furent assez loin de la tour, ils s'arrêtèrent. Pixel ouvrit le livre à l'endroit de la formule magique.

– Nous devrions commencer pendant qu'il fait encore jour.

Les deux autres s'approchèrent, lisant par-dessus son épaule.

– Je crois que nous devons former l'image d'un chien dans notre tête, expliqua Pixel, et dire ensuite « XSRVM » tous ensemble pour le faire apparaître.

– Bon Dieu, râla Score. On dirait Aranak. Attelons-nous à la tâche sans plus tarder.

Les trois se concentrèrent et, au signal de Pixel, ils dirent à haute voix et avec fermeté « XSRVM ». Renald avait en tête l'image d'un des chiens-loups que son père gardait pour la chasse.

Lorsque l'incantation fut terminée, Renald se sentit vannée.

— Je pense que ça fonctionne, dit-elle. Je sens quelque chose.

— Moi aussi, répondit Pixel, en refermant le livre et en le remettant dans la poche de son pantalon. Je me demande combien de temps nous devrons attendre.

Il avait à peine fini de parler qu'il eut la réponse à sa question. De l'obscurité croissante leur parvint le hurlement d'un loup.

— Oh là là ! murmura Score avec nervosité. Je n'aime pas du tout ça.

— Moi non plus, fit Pixel, l'air tout aussi effrayé. C'est un loup, n'est-ce pas ?

— Oui, acquiesça Renald, en dégainant et en essayant de scruter les alentours dans la demi-obscurité. N'oublions pas que les loups voyagent en meute.

Comme pour confirmer ce qu'elle venait de dire, d'autres hurlements répondirent au premier.

— Je pense que nous ferions mieux de retourner à la tour, proposa Score avec nervosité.

— Excellente idée, fit Renald avec mépris. Sauf que les hurlements viennent de cette direction. Les loups nous coupent de notre retraite.

Renald ne quittait pas des yeux la trouée dans les arbres.

– Et je pense qu'ils se rapprochent.

Score était trempé de sueur tellement il avait peur.

– Qu'allons-nous faire ? demanda-t-il, la voix aiguë de peur.

– Nous devrions reculer, suggéra Renald à voix basse. Retournez vers les bois et cherchez un endroit à la végétation assez dense pour que les loups n'y entrent pas. Peut-être encore pourriez-vous trouver une cave ou quelque chose qui nous permettrait de nous défendre. De plus, ramassez les branches qui pourraient vous servir de bâtons. Je défendrai nos arrières. Allez-y.

Lentement, les trois comparses battirent en retraite. Renald continua à scruter les arbres à mesure qu'ils s'enfonçaient dans les bois. Elle entendait des bruissements menaçants et elle était certaine d'avoir aperçu à plusieurs reprises de longues formes minces.

– Qu'est-ce qui s'est passé ? murmura Pixel. Avons-nous fait une erreur et appelé des loups ? Où est-ce la magie qui a tout simplement mal tourné ?

Renald se souvint qu'elle avait pensé à des chiens-loups... Avait-elle accidentellement appelé les loups ? Elle ne voulait pas envisager cette possibilité. Peut-être la magie était-elle corrompue.

L'attaque des loups fut rapide. Une énorme bête à la fourrure sombre avec une bande grise sur le dos bondit des buissons en montrant les dents, prête à se jeter sur Pixel.

9

Pixel faillit s'évanouir lorsque l'animal vorace se jeta sur lui. Il avait bien ramassé un bâton, mais le choc et la peur le paralysaient. Il était comme hypnotisé par les immenses crocs pleins de bave du loup.

Renald passa tout de suite à l'action, enfonçant son épée dans le flanc de l'animal. Le sang gicla et son odeur remplit l'air. En quelques secondes, Renald avait retiré son épée du flanc du loup et était de nouveau sur le qui-vive.

— Allons-y, cria-t-elle à Pixel. C'est une lutte à mort !

Pixel réussit à s'arracher à sa paralysie lorsque le corps du loup tomba à ses pieds. La terreur le poussa à agir. Le cœur battant, il leva son bâton improvisé. Score l'imita. Tout en continuant à battre en retraite, les jeunes guerriers ne perdaient pas de vue les loups qui les entouraient. Heureusement, après l'attaque du premier loup, il y eut une courte pause. Cependant, les hurlements furieux reprirent de plus belle et des silhouettes élancées recommencèrent à bondir.

Pixel se forçait à se battre, faisant tourbillonner son bâton. Il asséna un coup de matraque sur le museau du loup le plus proche. L'animal laissa échapper un glapissement, plus de surprise et d'irritation que de douleur réelle. Au moins, il hésitait maintenant à attaquer.

Cela ressemblait à s'y méprendre à l'attaque du chien à laquelle Pixel avait échappé de justesse. Ça avait été la seule autre fois dans sa vie où il avait dû affronter un danger physique. Au cours de ses voyages dans la RV, il avait, bien entendu, bravé le danger maintes et maintes fois. Cependant, les choses avaient été différentes parce qu'il avait toujours su que, dans le monde généré par l'ordinateur, rien de mal ne pouvait réellement lui arriver. Ici, il pouvait être blessé et même tué.

Il frappa un autre loup. Ce faisant, il en vit un autre apparaître sur sa droite et saisir le bâton avec ses mâchoires puissantes. Sous l'effet du choc, Pixel se rendit compte que les loups étaient très intelligents. Les bêtes savaient que, privé de son arme, il était sans défense. Par malheur, il n'arrivait pas à faire lâcher prise au loup affamé. Il vit le second loup prêt à lui sauter dessus et il était démuni.

À moins que… les idées se bousculaient dans sa tête. Instinctivement, il pensa au feu. Il devait faire apparaître le feu.

— « *Shriker Kula prior* », psalmodia-t-il.

Les mots lui venaient à l'esprit, sans qu'il ait à y penser. Il fut soudainement exaucé.

Le bout de son bâton s'enflamma. Pixel fit tournoyer le bâton, forçant les loups à reculer, la peur dans les yeux.

— Génial, s'écria-t-il avec un sourire triomphant.

Maintenant qu'il arrivait à distinguer les alentours à la lueur vacillante du feu, il jeta un rapide coup d'œil à ses compagnons. Renald avait tué un autre loup, et deux autres décrivaient des cercles autour de lui, hors de la portée de son épée. Score, tremblant de peur, tapait sur deux loups qui essayaient de saisir son bâton.

— Faites du feu ! leur cria Pixel en agitant son propre bâton pour bien leur montrer ce qu'il voulait dire.

Très surpris, Score comprit néanmoins le message. Il récita la psalmodie de Pixel et, une seconde plus tard, le bout de son propre bâton s'enflamma. Les deux loups s'éloignèrent du feu en montrant les crocs, ce qui fit sourire Score.

— Faisons mieux que ça, murmura-t-il, en se concentrant à nouveau.

Sur un côté du chemin, un buisson s'enflamma et les loups s'éloignèrent en hurlant. Pixel poussa lui aussi un cri, car il avait failli se brûler. Renald se rapprocha d'eux, alors que Score mettait le feu à un buisson de l'autre côté du chemin.

Les loups se tenaient en arrière des flammes, leurs yeux flamboyant dans la lueur du feu. Plusieurs des leurs étant déjà morts, ils décidèrent de chercher une proie plus facile à chasser. Un à un, ils disparurent dans la nuit.

— Pas mal, reconnut Renald, en lançant à Pixel un regard d'approbation. Une bonne manœuvre tactique. Comment as-tu su quels mots utiliser ?

— Ils me sont tout simplement venus à l'esprit, répondit Pixel en haussant les épaules. Je me suis dit que nous possédions la magie, que nous n'avions qu'à l'utiliser.

— La surutiliser, corrigea Renald. Le feu se répand.

En effet, plusieurs buissons et l'un des arbres à proximité étaient maintenant en feu et la chaleur obligea le trio à s'éloigner davantage de la tour. D'autres arbres prirent feu et Pixel se rendit compte que l'incendie commençait à faire rage.

— C'est dommage que nous ne connaissions pas de formule magique pour lutter contre le feu, murmura-t-il.

— Par là, décida Renald, en montrant de la main un chemin. Nous ferions mieux de décamper.

Pour une fois, Score ne discuta pas et les trois prirent le chemin indiqué par Renald.

Pixel tremblait encore d'avoir vu la mort de si près. Il réalisait à quel point il était peu préparé à vivre dans un monde réel. Et le monde dans lequel il se trouvait était un peu trop réel à son goût. Il préférait le danger et l'excitation du monde virtuel. Au moins, il n'y risquait pas de mourir. Il constata par contre que le danger excitait Renald. Pour une fois, le jeune à la mine sombre eut une ébauche de sourire.

Quelque chose au sujet de Renald l'intriguait, mais il n'arrivait pas à cerner ce que c'était. À bout de souffle, Pixel demanda aux autres :

— Sommes-nous assez loin ?

Il n'avait pas l'habitude d'une activité aussi intense.

Renald jeta un coup d'œil en arrière. On voyait à peine les flammes danser au loin.

— Oui, dit Renald à contrecœur, nous pourrions peut-être ralentir le pas.

Lorsqu'ils allèrent plus lentement, Score sembla lui aussi soulagé. Il demanda à Renald :

— Es-tu certain que ce soit le bon chemin pour retourner à la tour ?

— Non, avoua Renald, en regardant les étoiles, mais c'est celui qui nous éloigne du feu. Je ne reconnais aucune des constellations et je ne peux donc pas m'en servir pour m'orienter. Nous devrons attendre le lever du soleil pour nous repérer.

— Si le soleil se lève à l'est sur cette planète, maugréa Score.

Renald le regarda, interloquée, et dit, la mine sombre :

— Il se lève à l'ouest sur la mienne.

— Et au nord sur la mienne, ajouta Pixel, déprimé. Nous ne savons donc pas où il se lève ici. Nous sommes complètement perdus, n'est-ce pas ?

— Nous allons retrouver notre chemin, affirma Renald, refusant de se laisser abattre. Nous tomberons peut-être par hasard sur l'un des Bestials. Ils doivent habiter la forêt.

Pixel haussa les épaules. C'était à espérer, faute de mieux, se disait-il.

À l'instant même, une masse large et pesante s'abattit sur lui, le jetant au sol. Il en fut tout étourdi. En reprenant ses esprits, il se rendit compte que le filet qui le recouvrait le rendait incapable de se relever. Inquiet, il regarda autour de lui.

Les trois étaient sous le même filet, qui leur avait été lancé depuis les arbres. Des hommes bondirent des buissons, resserrant la prise du filet. Plusieurs d'entre eux s'affairèrent à immobiliser Renald et à la désarmer. Dans la foule qui les entourait, Pixel reconnut le chef du groupe qui les avait attaqués à leur arrivée dans ce monde.

— Alors, grommela l'homme, les renseignements que nous avons reçus étaient exacts. Et vous, les jeunes pratiquants de la magie, vous êtes entre nos mains. Et, juste pour vous empêcher de nous jouer l'un de vos tours stupides…

Le chef fit un signe à ses hommes. Pixel regarda autour de lui, alarmé, mais au même moment il reçut sur la nuque un coup qui le fit s'évanouir.

Lorsqu'il revint à lui, il était sonné. Il se leva en s'appuyant sur un coude mal assuré. Après que la tête lui fit un peu moins mal et qu'il cessa de voir les éclairs de couleur jaune causés par la douleur, il ouvrit les yeux et gémit.

— Il était temps que tu te réveilles !

Renald était furieuse de leur capture.

— Allons, ressaisis-toi.

— J'ai mal à la tête, se plaignit Pixel, en essayant de s'asseoir.

Il regarda autour de lui. Renald, Score, ce garçon à l'air maussade, et lui se trouvaient dans une pièce minuscule. Les murs étaient faits de pierre et la pièce ne comportait qu'une toute petite fenêtre, placée haut sur un mur, beaucoup trop petite pour servir à une fuite. La pièce était dotée d'une large porte avec verrou et le plancher de pierre était recouvert de paille. Tout en enlevant des brins de paille de ses cheveux, Pixel réussit finalement à s'asseoir. Au moins, il n'avait pas besoin de demander où ils étaient. La réponse était évidente.

— Les villageois nous ont capturés, n'est-ce pas ?

— Quelqu'un nous a dénoncés, répliqua Renald, et je pense savoir qui c'est. Il m'a semblé apercevoir cet homme, Cleora, qui m'a trahi dans mon propre monde et j'ai bien l'impression qu'il a fait la même chose ici. C'est peut-être l'instrument d'Aranak.

— C'est étrange, dit Score, parce que, sur terre, c'est un étranger qui m'a attiré des ennuis.

— Et moi aussi, ajouta Pixel, en frottant sa tête endolorie. On dirait que, pour une raison obscure, des gens souhaitent notre mort.

— Et leur souhait sera bientôt exaucé, dit une voix goguenarde depuis la porte.

Pixel regarda autour de lui et vit alors que la porte comportait une petite ouverture, assez grande pour permettre à un visage de scruter l'intérieur. Il ne fut pas surpris outre mesure de voir le visage du chef du village.

— Au matin, nous vous emmènerons au bûcher.

La gorge de Pixel se serra. Ce qu'il craignait allait arriver.

— Pourquoi ? demanda-t-il, la voix chevrotante.

— Il est préférable de vous tuer avant que vous ne deveniez trop forts, répondit l'homme, sales utilisateurs de magie que vous êtes.

— Nous ne vous portons pas dans notre cœur non plus, de dire Score après avoir grimacé. Pourriez-vous au moins nous donner de l'eau ? Je meurs de soif.

— Je vous promets que ce n'est pas de soif que vous mourrez, précisa l'homme en riant.

Il referma l'ouverture. Pixel entendit le rire du monstrueux personnage s'affaiblir à mesure que ce dernier s'éloignait.

— Bon ! dit Renald en s'assoyant par terre. Qu'est-ce qu'on fait maintenant ?

— On doit sortir d'ici, répondit Pixel, sinon nous allons nous être transformés en steaks bien cuits.

— C'est facile à dire, fit Renald d'un ton brusque, mais comment proposes-tu de le faire ?

Score n'appréciait manifestement pas le ton de Renald.

— Écoute, ce n'est pas parce que tu es le fils d'un noble dans ton monde que tu nous es supérieur, tu sais !

— Je suis meilleur que toi à tout point de vue, répliqua Renald en grognant. Veux-tu qu'on se batte ?

— Ne peux-tu pas penser à rien d'autre qu'à la violence ? lui demanda Pixel après avoir soupiré. Ça importe peu que tu sois fort ou que tu saches manier l'épée, ou encore que tu aies tué beaucoup d'hommes. Ce n'est pas ça qui nous fera sortir d'ici.

Ensuite, il s'adressa à la fois à Renald et à Score.

— Alors, vous deux, arrêtez ! Votre comportement ne nous aide pas.

Pixel pensa que Renald allait l'injurier et peut-être même l'attaquer. Or, à sa surprise, Renald leva la main.

— Assez, dit calmement le guerrier. Je pourrais te battre, mais à quoi ça servirait. Tu es plus courageux que je ne le pensais. Je te prie de m'excuser.

— Quoi ? fit Score, qui n'en croyait pas ses oreilles.

— Je te prie aussi de m'excuser, répéta Renald. Nous battre entre nous ne nous sortira pas d'ici.

— Tu as probablement raison, dit Score lentement.

— Bon, fit Pixel, heureux que l'atmosphère se détende. N'oubliez pas que nous sommes encore dans cette cellule et que, demain matin, nous avons, semble-t-il, rendez-vous avec le feu. Comment allons-nous sortir d'ici ?

Il se dirigea lentement vers la porte et l'examina. Il fallait que ce soit leur sortie de secours, car ils ne réussiraient jamais à traverser les murs de pierre ni à passer par la petite fenêtre.

Le villageois avait mentionné que des hommes montaient la garde, mais peut-être les trois pourraient-ils leur faire face une fois sortis. Il leur fallait d'abord se retrouver de l'autre côté de la porte. Les villageois leur avaient confisqué tout ce qui pouvait être considéré comme une arme, ne leur permettant même pas d'avoir de l'eau ou de la nourriture. Et sans quelque chose à utiliser, il leur était difficile de pratiquer la magie. Les villageois avaient même pris les armes de Renald. Les trois comparses n'avaient que les vêtements qu'ils portaient.

Score essaya de transformer le verrou, comme il l'avait fait avec les cartes sur la Terre. Cependant, la magie n'opérait plus. Le jeune garçon pouvait changer la sorte de métal dont était fait le verrou, mais il ne pouvait pas en affaiblir le mécanisme.

Pixel eut tout à coup une idée. Il se pencha pour examiner le verrou.

— Il est en plomb probablement, murmura-t-il. Bon marché et facile à fabriquer.

En souriant, il se tourna vers les autres qui l'observaient en silence, debout.

— Le feu, leur annonça-t-il, voilà quelque chose que nous pouvons tous faire.

— Ça ne marchera pas, protesta Renald. Si nous essayons de brûler la porte, la paille prendra feu et nous aussi. Je préférerais ne pas faire la besogne des villageois.

— Nous n'allons pas incendier la porte, lui expliqua Pixel avec patience. Nous allons mettre le feu au verrou. Il est fait de plomb et ce métal fond à 164 degrés Celsius. Nous devrions être capables d'amener la paille à brûler à cette température sans problème si nous combinons nos pouvoirs.

Il commença à ramasser de la paille et à en bourrer le verrou.

— Lorsque le verrou aura fondu, nous pourrons sortir de cette pièce. Nous devrons ensuite trouver la sortie et affronter les gardes.

— C'est là que tu interviendras, bien entendu, dit-il à Renald en souriant. C'est une affaire de rien pour toi que de combattre deux hommes armés, n'est-ce pas ?

— Ce ne sera pas difficile en effet, répondit Renald en souriant.

— Si nous faisons fondre le verrou, ne risquons-nous pas de mettre en même temps le feu à la paille ? demanda Score, la mine renfrognée.

— Je ne pense pas, lui répondit Pixel, mais nous pouvons prendre des précautions. Il nous faudrait mettre quelque chose sur le plancher, sous le verrou, pour recueillir les gouttes de métal fondu.

Il lança un coup d'œil à Renald.

— On pourrait peut-être utiliser ton béret.

— Non ! s'exclama Renald, l'air plus inquiet qu'ennuyé.

— Pourquoi pas ? lui demanda Score.

Pixel commençait à comprendre… l'expression qu'il avait vue sur le visage de Renald lorsque Score s'était moqué des choses typiquement féminines… la façon dont la voix de Renald devenait parfois plus aiguë… son désir d'intimité… la raison pour laquelle Renald ne voulait pas enlever son béret…

— Tu es une fille, n'est-ce pas ? lui demanda Pixel.

Renald devint écarlate et ses yeux se plissèrent.

— Qu'est-ce qui te fait croire ça ?

— C'est évident, lui répondit Pixel. Je l'ai deviné.

— Une fille ? répéta Score, abasourdi. Renald est une fille ? Je me suis fait marcher sur les pieds par une fille !

— Oui, grommela Renald en enlevant son béret.

Ses longs cheveux bruns tombèrent en cascade sur ses épaules.

— Et je peux encore te battre, ne l'oublie pas.

— Une fille, répéta Score.

— Oh, tais-toi, lui ordonna Pixel. Qu'est-ce que ça peut bien faire que Renald soit une fille. Elle est quand même la meilleure combattante de nous trois et, si tu ne peux l'accepter, tant pis pour toi.

Il prit le béret que lui tendait Renald et le glissa sous le verrou.

— Maintenant, essayons de nous mettre au travail si nous ne voulons pas brûler au bûcher.

Score fixa à nouveau Renald et secoua la tête.

— Mais je n'accepterai pas d'ordre d'elle, insista-t-il. Je ne me fais pas mener à la baguette par une fille.

— Et si on te laissait ici tout simplement ? suggéra Renald avec une douceur feinte.

— Arrête ! murmura Pixel.

Qu'est-ce qu'il avait ce garçon de la Terre ? Que Renald fût un garçon ou une fille, quelle importance ça pouvait bien avoir ?

— Cessez cette chamaillerie, ordonna Pixel. Concentrons-nous ensemble.

Il se concentra en récitant le chant. Renald et Score l'imitèrent.

La paille prit feu dans une grande conflagration et des morceaux de plomb fondu coulèrent sur la porte. Le sourire aux lèvres, Renald donna un grand coup de pied à la porte, qui s'ouvrit tout grand. Elle fonça tête baissée vers la sortie, prête à affronter ce qui s'y trouvait. Pixel ne pouvait s'empêcher de l'admirer en la suivant.

Ils se trouvaient dans un petit corridor de pierre. Pixel se dit que ce devait être la prison locale. Au bout du corridor, il y avait une autre porte. Verrouillée ou déverrouillée ? Renald tourna la poignée et la porte s'ouvrit. Elle se précipita dans l'autre pièce.

Deux hommes armés s'y prélassaient, une grande tasse à la main. Ils se levèrent d'un bond, essayant de saisir l'épée glissée dans leur ceinture. C'est alors qu'ils se rendirent compte que l'un des prisonniers qui s'étaient échappés était… « Une fille » s'exclama l'un d'entre eux, l'épée à peine levée. Il fronça les sourcils et Renald profita de l'hésitation du malotru. Elle lui saisit le poignet qui tenait l'épée. Pivotant sur elle-même, elle le souleva par-dessus l'épaule et le projeta sur le plancher. Elle lui tordit en même temps le poignet. L'homme poussa un cri de douleur en volant dans les airs. Les os de son poignet craquèrent. Renald avait maintenant une arme.

L'autre homme n'entendait cependant pas la laisser l'utiliser. Comme elle lui tournait le dos, il se précipita sur elle avec son épée.

Si Pixel ne voulait pas que Renald soit tuée, il lui fallait agir sur-le-champ. Il partit en esprit au secours de la jeune fille et mit le feu au pantalon de l'homme.

Le malheureux poussa un cri ; il s'écarta de Renald en essayant d'éteindre le feu. Pixel s'empara de l'une des grandes tasses à même lesquelles avaient bu les hommes et en jeta le contenu sur le pantalon en flammes. Au même moment, Renald asséna à l'homme un grand coup à l'aide de l'épée volée, ce qui le fit tomber sans connaissance.

— Tu lui as joué un sale tour, fit-elle remarquer à Pixel en souriant. Tu apprends beaucoup de choses !

Pour une fois, elle avait presque un air approbatif.

— Partons d'ici avant que quelqu'un d'autre n'arrive, dit Score après s'être frayé un chemin jusqu'à ses amis.

— Pas encore, lui répondit Renald avec fermeté.

Elle alla à l'armoire du coin et l'ouvrit. Elle sourit de plaisir lorsqu'elle vit que son épée et son couteau étaient là. Elle jeta de côté l'épée empruntée.

— Je ne pars pas sans mes bonnes armes. Cette épée ne vaut rien. Elle se briserait dans une vraie bataille.

— Dépêchez-vous, les implora Score. Plus vite nous partirons d'ici, mieux je me porterai. J'ai l'impression de sentir les flammes d'ici.

Renald finit de s'armer et glissa le couteau dans le haut de sa botte.

— Prête, dit-elle.

Pixel se demanda s'il ne ramasserait pas l'épée dont elle ne voulait pas, mais il décida finalement de ne pas le faire. Il ne savait pas comment manier l'épée et il serait dans une situation plus avantageuse sans une arme à laquelle il n'était pas habitué. D'autant plus qu'il se débrouillait plutôt bien avec sa magie !

Les trois comparses sortirent furtivement de la prison et s'esquivèrent à la faveur de la nuit. Il devait être passé minuit et le village était pratiquement désert. Lorsque les villageois iraient à la prison le lendemain matin, ils auraient une mauvaise surprise. Sous le couvert de la noirceur, Renald, Pixel et Score se dépêchèrent de quitter le village et de s'enfoncer dans les bois. Pendant presque vingt minutes, ils n'échangèrent pas un mot. Pris d'un point au côté, Pixel demanda aux autres de s'arrêter.

— Désolé, haleta-t-il, j'ai besoin de me reposer.

Ensemble, Renald, Pixel et Score quittèrent le chemin qu'ils avaient emprunté et se dirigèrent vers un bosquet. Renald trouva que l'emplacement lui semblait familier — qu'il ressemblait au monde qu'elle connaissait — et c'est alors qu'elle vit l'étrange arbre pourpre.

— Il sera de toute façon plus sûr d'attendre ici, suggéra-t-elle d'un ton brusque. De cette façon, nous verrons toute personne qui s'approchera.

Ma chère, quel sage conseil que celui-ci.
Je suis heureux de vous voir tous ici.

Pixel se retourna brusquement.
— Relcoa ! s'exclama-t-il.
— Cleora ! cria Renald au même instant.
— LeCora ! s'étonna Score.

10

Score resta paralysé à la vue de l'homme scintillant vêtu de noir, qui s'inclinait et souriait.

Une seule et même personne, je suis connu
sous les trois noms
Et pourtant aucun de vous ne connaît mon
vrai nom.

Score fronça les sourcils et étudia l'homme qui l'avait mis dans le pétrin. Il était sûrement là pour causer encore des problèmes.

— Pourquoi ne lui sautons-nous pas dessus ? proposa-t-il. C'est lui qui m'a vendu.

— Et moi aussi, ajouta Renald.

— Il m'a presque donné en pâture aux chiens, dit à son tour Pixel. Nous ne devrions pas nous en remettre à lui.

Score secoua la tête.

— Vous devez être fou pour croire que l'un d'entre nous pourrait vous faire confiance, dit-il.

Cependant, il se retint de l'attaquer.

Me faire confiance vous devez,
Car j'en connais plus que vous le croyez.

L'homme les regardait d'un air sérieux.

— Donnez-nous une raison de vous faire confiance, le défia Pixel. Dites-nous, pour une fois, quelque chose qui pourrait nous être utile.

L'homme fit un signe de tête approbatif.

Pas loin d'ici vous guette la mort.
Sur chacun d'entre vous, de grandes menaces pèsent fort.
Avec grande prudence, prenez ce chemin.

La tour se trouve non loin.
Mais à la fin du voyage ne vous reposez pas,
Car Aranak votre ami n'est pas.

— Aranak ? répéta Score en secouant la tête avec incrédulité. Il nous a enseigné la magie et nous a montré comment la maîtriser. Pourquoi l'aurait-il fait s'il était notre ennemi ?

Ses motifs lui seul connaît.
C'est votre plus grand ennemi, il paraît.
C'est un mensonge ce qu'il vous dira.
Faites-moi confiance et personne ne mourra.

— Mais c'est pourtant vous qui nous avez mis dans le pétrin, protesta Renald en secouant la tête.

L'homme haussa les épaules.

Vous êtes sous ma garde, de nouveau je vous le dis.
Je partage vos inquiétudes et vos rêves, et je réagis.
Les caméléons ne méritent pas votre confiance.

Malgré leur gentillesse, il faut leur montrer de la méfiance.
Ils suivent des ordres et n'hésitent pas
À dire que leurs maîtres souhaitent votre trépas.

— C'est extraordinaire, marmonna Pixel. Vous nous dites donc que nous ne pouvons faire confiance à personne d'autre qu'à vous ?

Il laissa échapper un rire narquois.

— Excusez-moi, mais j'ai de la difficulté à le croire.

Mes amis, placez votre confiance en vous,
Car votre sort ne dépend que de vous.
Vers la Tour, partez
Car voilà que le soleil s'apprête à briller.

Score rit d'un air incrédule.

— Vous nous dites qu'Aranak est notre ennemi, mais que nous devrions retourner chez lui. Ne nagez-vous pas en pleine contradiction ?

Relcoa/Cleora/LeCora hocha la tête, une ébauche de sourire sur les lèvres. Il regarda Renald droit dans les yeux.

Allez à lui, mais n'oubliez pas de vous cacher.
Il compte aujourd'hui tous vous tuer.
Sa tour renferme une chose des plus inusitées.
C'est là que Le livre des noms *est caché.*
Son contraire vous révélera
Une magie qui vous protégera.

— *Le livre des noms* ? Renald répéta-t-elle en le fixant du regard.

Score la regarda, perplexe. Elle poursuivit :

— C'est le livre dont j'ai rêvé, celui qui contient une page, expliqua-t-elle. Je suis certaine qu'il est dans la tour. Mais comment Cleora est-il au courant de mes rêves ?

— Je n'en ai pas la moindre idée, répondit Score.

Il réfléchit un moment.

— Le livre doit être caché dans la bibliothèque.

Il regarda sévèrement l'étranger.

— Cela ne veut pas dire que je crois pour autant tout ce que vous nous avez dit, l'avertit-il.

— Cela semble assez logique, reconnut Pixel en hochant la tête. Et si nous trouvons le livre, nous pourrions probablement apprendre des choses qui nous seraient véritablement utiles.

Lorsque un est entièrement fait de trois,
Le pouvoir cosmique est libéré comme il se doit.

L'homme fit de nouveau un geste en direction de l'endroit où se trouvait selon lui la tour. Score regarda dans cette direction et, lorsqu'il se tourna à nouveau vers l'homme, ce dernier avait disparu.

— Ça m'énerve quand il disparaît comme ça, murmura-t-il en regardant ses compagnons. Que faisons-nous maintenant ? Devrions-nous lui faire confiance ?

— Non, répliqua Renald avec fermeté. Nous ferions une grave erreur d'agir ainsi. Cependant, il veut que nous rejoignions la tour et nous voulons y retourner. Alors...

Elle se mit en marche dans la direction indiquée, puis sourit à Score.

— Bien entendu, si tu ne veux pas suivre une fille, tu peux prendre un autre chemin.

Score rougit, agacé une fois de plus. Les choses avaient déjà été assez pénibles quand il pensait avoir affaire à un garçon. En tant que garçon, Renald avait été casse-pieds. En tant que fille, elle était encore plus enquiquinante ! Par contre, elle semblait se diriger dans la bonne direction. De mauvaise grâce, il emboîta le pas à Pixel.

Au bout de quinze minutes, Pixel dit soudainement :

— Je me demande pourquoi Relcoa utilise différents noms.

— Parce qu'il essaie de nous duper, insinua Score. Il ment comme il respire.

— Je n'en suis pas sûr, avança Pixel. S'il voulait nous duper, pourquoi nous serait-il apparu à tous en même temps, au lieu d'attendre que chacun de nous soit seul ?

— Parce que nous ne sommes pratiquement jamais seuls, répliqua Score d'un ton goguenard.

— Nous approchons de la tour, fit remarquer Renald. Heureusement !

— Peut-être, convint Pixel. Je pense que notre mystérieux personnage utilise différents noms pour une raison particulière.

Il fit claquer ses doigts.

— Mais bien sûr ! Souvenez-vous de notre première leçon de magie : lorsqu'on connaît le vrai nom d'une chose, on est en mesure d'exercer un certain pouvoir sur cette dernière. Nous connaissons les noms d'emprunt de notre supposé sauveteur, mais pas son vrai nom.

Score trouvait l'explication assez logique, ce qui l'inquiétait. Était-il en train de s'habituer à la magie ?

— Mais il utilise trois noms, fit-il remarquer, LeCora, Cleora et Relcoa. Lequel est son vrai nom ?

— Probablement aucun des trois, fit valoir Renald. Il doit s'agir de trois faux noms.

— C'est encore pire, se plaignit Score. Nous ne sommes pas plus avancés. Il pourrait s'appeler n'importe comment.

— Oui, reconnut Pixel, d'un ton excité. Cependant, je ne pense pas que ce soit le cas. Je pense que tous les faux noms attirent notre attention sur son vrai nom.

En voyant l'air déconcerté de Score, il expliqua :

— N'avez-vous pas remarqué que chacun des trois noms d'emprunt qu'il nous a donnés contient exactement les mêmes lettres ? L-E-C-O-R-A. Cela veut dire soit qu'il manque totalement d'imagination, soit qu'il nous donne un indice de son vrai nom.

– S'il voulait qu'on le sache, protesta Score, pourquoi ne nous l'a-t-il tout simplement pas dit ?

– Probablement pour la même raison qu'il parle en vers, tenta Pixel en haussant les épaules. On dirait qu'on lui a jeté un sort qui l'empêche de faire ce qu'il veut.

– Et c'est pourquoi il ne peut nous donner de réponses franches, ajouta Renald, pensivement. Tu as peut-être raison.

Score regarda à tour de rôle ses compagnons d'un air interrogateur.

– Vous pensez maintenant qu'il veut nous aider ?

– Pas nécessairement, reconnut Pixel, mais il joue un rôle. Et quel que soit ce rôle, nous devrons le découvrir car ce personnage est manifestement lié à notre sort. Est-ce qu'il est de notre côté ? Je ne le sais pas encore. Je parie que son nom est une anagramme de ces six lettres, tout comme ses faux noms.

– S'il y a six lettres, dit Score, ça veut dire 720 combinaisons possibles. Si nous éliminons les trois qu'il a utilisées, ça nous donne 717 éventualités. Tout ça ne nous est pas d'un grand secours.

— Mais s'il essaie de nous aider, avança Pixel, l'une de ces combinaisons doit s'imposer à nous. Nous pouvons réarranger les lettres et voir si nous réussirons à composer un nom.

Score estimait que ça ne rimait à rien, mais il savait qu'il était vain de se plaindre. Il essaya de former diverses combinaisons dans sa tête : Realco, Elorac, Clorea, Olecra…

Les trois jeunes poursuivirent leur chemin en silence. Au bout d'un moment, Score arrêta d'essayer de décoder le nom LeCora. Les autres étaient perdus dans leurs pensées, ce qui faisait son affaire. Le garçon se remémorait son enfance et ne souhaitait pas partager avec les autres les souvenirs qui remontaient à sa mémoire. Malgré le danger qui le menaçait, il se sentait plus heureux ici que chez lui, avec Méchant Tony. Il devait reconnaître que Pixel et Renald, même s'il ne les aimait pas beaucoup, lui étaient solidaires. Ils étaient dans son camp, même si ce n'était que pour des motifs intéressés.

N'étant pas habitué à avoir quelqu'un de son côté, il ne savait plus que penser.

L'aube pointait lorsqu'ils arrivèrent à un endroit où les arbres avaient été brûlés.

— Sapristi, murmura Score, cet endroit m'est étrangement familier.

— On dirait ton travail, répliqua Pixel avec un sourire. La tour ne doit pas être loin.

Elle ne l'était effectivement pas. Dès qu'ils quittèrent le bosquet, ils virent la tour d'Aranak, étincelant dans les premiers rayons du jour. Le rouge vif du soleil se reflétait en dessins enchanteurs contre la tour bleuie par les reflets du soleil.

Comme ils se rapprochaient, Renald, Pixel et Score purent distinguer une silhouette solitaire qui les attendait.

C'était Aranak. Il n'avait pas l'air content du tout.

— Où étiez-vous, demanda le magicien d'une voix qui fit frissonner Pixel. Je m'inquiétais à votre sujet.

Score remarqua qu'il semblait réellement embêté. Peut-être LeCora se trompait-il au sujet d'Aranak ? Pourquoi ce dernier s'inquiéterait-il pour eux s'il n'était pas leur ami ?

— Tout va bien, lui répondit Score.

— Nous avons été capturés par des villageois, avoua Pixel.

Le visage d'Aranak prit un air mauvais et la peur s'y lut.

— Ils ont réussi à se faufiler dans ma tour ?

— Non, non, dit lentement Renald. Nous sommes sortis. Nous voulions… prendre l'air.

— Prendre l'air ? ricana Aranak. Dites plutôt que vous vouliez essayer vos capacités magiques.

Voyant leur air coupable, il ajouta.

— Je sais que vous avez pris ces trois livres de magie. C'est pour ça que je les ai laissés là. Je voulais voir si vous vous intéressiez réellement à vos capacités ou si vous le faisiez seulement pour me faire plaisir.

Il était parvenu à maîtriser sa colère.

— En fait, je suis très impressionné par le fait que vous ayez réussi à découvrir comment quitter la tour sans me le demander. Allons prendre le petit-déjeuner et vous me raconterez ce qui vous est arrivé.

Ils pénétrèrent à nouveau dans la tour en tapant sur le mur, et pour la première fois, Aranak se joignit à eux pour le repas, sans toutefois rien manger.

– J'ai déjà pris le petit-déjeuner, expliqua-t-il. Je m'apprêtais, avec les Bestials, à partir à votre recherche dans les bois. Racontez-moi ce qui vous est arrivé.

Comme Pixel était le plus loquace des trois, c'est lui qui en fit le récit. Il conta d'abord à Aranak l'apparition des loups. Ensuite, il parla de la façon dont ils avaient été capturés, et finalement de l'ingéniosité avec laquelle ils s'en étaient sortis. Score, dont quelque chose avait mis la puce à l'oreille, s'immisça dans la conversation en concluant :

– Et c'est tout. Nous avons ensuite marché toute la nuit pour retourner à la tour.

Il avait eu le sentiment que mentionner Relcoa aurait été une erreur. À sa grande surprise, il vit que Pixel et Renald étaient d'accord avec lui. Ils éprouvaient manifestement le même sentiment. Si Aranak était leur ennemi, lui parler de Relcoa sèmerait chez lui le doute. S'il ne l'était pas, ils s'arrangeraient avec Relcoa.

Aranak les regarda avec un air de vive surprise et de mécontentement qu'il avait peine à dissimuler.

– Le feu, leur demanda-t-il d'une voix tendue, vous avez fait apparaître le feu ?

Pixel fit un signe de tête affirmatif.

– Vous n'êtes pas censés… Comment avez-vous appris à faire ça ? leur demanda le magicien.

– C'était dans l'un des livres, bluffa Score.

Il le regretta aussitôt car il pressentait qu'Aranak savait la vérité.

– Je vois, c'est très bien, dit le magicien en hochant la tête.

D'après son expression, Renald, Pixel et Score craignirent qu'il ne se doute de trop de choses.

Aranak ne s'étendit pas sur leur faute. Il leur dit plutôt qu'ils devaient être épuisés après avoir si bien travaillé et qu'ils avaient maintenant besoin de se reposer.

Score était déconcerté par le compliment d'Aranak ; il se demandait si c'était une bonne chose d'avoir impressionné le magicien. Ils se levèrent tous les trois. Score avait hâte d'aller au lit ; il avait certes sommeil, mais il voulait d'abord bavarder avec Pixel et Renald. Certaines choses le tracassaient et ses compagnons semblaient partager ses préoccupations. Alors qu'ils étaient dans le couloir qui menait à leur chambre, Score leur demanda :

— Voulez-vous entrer un moment ?

— Oui, dit Renald.

Pixel fit un signe de tête affirmatif et les deux suivirent Score dans sa chambre. Une fois la porte fermée, Score leur demanda :

— Que pensez-vous de tout ça ?

— C'était intelligent de ne pas mentionner Oracle, dit Pixel. J'ai le sentiment que ç'aurait été une erreur.

— Oracle ? Qui est Oracle ? demanda Score.

— Ai-je dit « Oracle » ? questionna Pixel, qui semblait quelque peu confus. Je voulais dire Relcoa.

— Non, l'interrompit Renald. Tu voulais dire Oracle. C'est son vrai nom, n'est-ce pas ? Les lettres correspondent en tout cas.

— Mais comment l'as-tu deviné, Pixel ? lui demanda Score.

— Je l'ai juste dit tout à l'heure, je ne le savais pas jusqu'à ce que je prononce le mot, expliqua Pixel.

— Des forces étranges sont à l'œuvre ici, fit observer Renald, et ça me préoccupe. Pourquoi avons-nous eu tous les trois le sentiment qu'il fallait ne pas parler d'Oracle à Aranak ? Est-ce Oracle qui nous a incités à garder le silence ?

– Il n'y a qu'un moyen de le découvrir, répondit Pixel en souriant timidement. Si nous avons raison et que nous connaissons son nom, je parie que nous pouvons le faire apparaître. Ce ne sera sûrement pas plus difficile qu'avec les loups.

– Ouais, sauf que ça n'a pas été une réussite, fit remarquer Score. Qu'arrivera-t-il si nous échouons comme l'autre fois ? Nous pourrions faire apparaître une armée de morts-vivants ou quelque chose du genre.

– J'aurais dû savoir que tu aurais trop peur pour essayer ! ne put s'empêcher de s'exclamer Renald en lui jetant un regard de mépris.

– Je n'ai pas dit que je me dégonflais, protesta Score, se sentant rougir. Je vous mettais simplement en garde.

– D'accord, se dépêcha de dire Pixel pour éviter d'autres discussions. Mettons-nous au travail et voyons si nous allons y arriver cette fois-ci. Concentrons-nous sur Oracle et je psalmodierai son nom en alphabet inversé.

Score ferma les yeux. Il se concentra sur l'étranger et se fit une image mentale de son accoutrement bizarre. Il entendait Pixel appeler doucement « LIZXOV ». Il sentit à nouveau cette légère torsion à l'intérieur de lui qui lui disait que quelque chose était à l'œuvre. Lorsqu'il ouvrit les yeux, Oracle était là, affichant un grand sourire.

Ma confiance en vous n'était pas mal placée.
Du temps et de l'espace, vous m'avez ramené.

— Excellent ! s'écria joyeusement Pixel. Nous avons trouvé votre vrai nom. C'est Oracle.

Oracle fit un signe de tête affirmatif et observa les trois amis de la façon dont Score avait toujours imaginé qu'un père aimant regardait ses enfants. L'affection n'avait pratiquement jamais été présente dans la vie du garçon.

Maintenant sur vos gardes vous devez être
Parce que le sort va s'acharner sur votre être.
Recherchez le livre, mais dans l'ordre inversé
Avant que votre sort ne soit scellé.

Et il disparut.

— Eh bien ! s'exclama Score sur un ton cynique. Il ne nous a pas appris grand-chose.

— Il nous a quand même avoué que nous avions bien deviné son nom, répliqua Pixel. Et nous pouvons maintenant l'appeler quand nous avons besoin de lui, au lieu d'attendre qu'il apparaisse de lui-même.

— Oui, mais il disparaît quand même quand ça le tente et il ne veut toujours pas nous donner de réponses claires, fit remarquer Score en haussant les épaules.

— Il va donc falloir travailler là-dessus, conclut Pixel.

— Il nous faut chercher *Le livre des noms*, dit Renald. Je suis de plus en plus certaine que notre sort y est lié.

— L'intuition féminine, ne put s'empêcher de faire remarquer Score sur un ton sarcastique.

— Préférerais-tu avoir un coup de poing féminin sur la gueule ? lui demanda gentiment Renald.

— Arrêtez, tous les deux, ordonna Pixel. Allons nous reposer quelques heures et retrouvons-nous ensuite dans la salle à manger. Nous serons frais et dispos.

Une fois que les autres furent partis, Score se jeta sur le lit. Il était fatigué et avait besoin de dormir. Cependant, il sentait une étrange chaleur en lui. Il lui semblait que des gens s'intéressaient finalement à son bien-être : Pixel et Renald. Ces derniers l'énervaient de moins en moins. Il espérait toutefois qu'il ne commençait pas à les trouver sympathiques.

Et Oracle semblait fier de lui. Score y décelait tout de même une épée à deux tranchants, car il n'était pas certain de pouvoir lui faire confiance. Même si l'approbation d'Oracle ne signifiait pas grand-chose, il était heureux de recevoir, pour une fois dans sa vie, l'assentiment de quelqu'un.

De plus, Aranak semblait s'inquiéter vraiment à leur sujet et il était impressionné par ce qu'ils avaient fait. Il leur avait promis quelque chose de spécial plus tard et ce serait peut-être amusant... si on pouvait faire lui confiance, bien entendu.

Malgré les problèmes que lui et ses amis auraient à affronter, Score trouvait la vie belle, du moins lorsqu'il s'est endormi.

11

Au réveil, Renald se sentit reposée. Habituée à une vie trépidante, les quelque trois heures pendant lesquelles elle avait dormi lui avaient suffi. Elle s'assit sur le bord du lit et enfila sa tunique. Elle tendit automatiquement la main pour prendre le béret, mais il n'était plus là. Elle continuait à se sentir presque nue sans son béret, mais il n'y avait pas grand-chose qu'elle puisse y faire. Curieusement, elle était soulagée de savoir que Score et Pixel connaissaient la vérité à son sujet sans en être trop dérangés, dans le cas de Pixel du moins. Pour Score, c'était une autre histoire.

Elle avait remarqué quelque chose de spécial dans le regard de Score alors que ce dernier pensait à son passé. On aurait dit le regard d'un chien battu dont le traitement injuste et la trahison avaient eu raison de la confiance et de l'amour. Score avait manifestement une personnalité plus complexe que Renald ne l'avait supposé. Peut-être Pixel avait-il raison et qu'elle ne devrait pas se montrer aussi dure envers Score.

Pixel. Elle avait découvert que, chose curieuse, elle aimait bien le jeune maigrelet. Même s'il ne possédait pas vraiment d'habileté, il avait l'esprit vif. Elle s'était trompée à son égard. Était-elle en train de perdre le sens des réalités ou était-elle maintenant capable de juger les autres autrement que selon les normes d'un guerrier ? Elle ne le savait pas, mais elle se promettait d'y réfléchir.

Elle se rendit compte d'autre chose. N'ayant plus son béret, ses cheveux flottaient sur ses épaules. Elle ressemblait indéniablement à une fille ; elle n'avait pas du tout l'allure d'un garçon. Pourtant, Aranak n'avait pas fait de commentaires. Savait-il depuis le début qu'elle était une fille ? Intéressant… Quelqu'un avait dû le savoir. Sur la feuille de

Score, il était clairement indiqué qu'il y avait union de deux personnes de sexe masculin et d'une de sexe féminin. La feuille devait faire référence à eux.

Elle alla à la salle à dîner et mangea du bout des dents en attendant les autres, qui arrivèrent ensemble. Eux aussi perdus dans leurs pensées, ils touchèrent à peine à leur assiette. Pour une fois, Score se contenta de manger la nourriture offerte, sans la changer. Lorsqu'ils eurent terminé, Renald se leva.

— Il est temps de nous mettre à la recherche du *Livre de la magie*, dit-elle simplement.

— Mais par où commencer ? demanda Pixel. S'il est si précieux, Aranak l'a sûrement caché. Il doit l'avoir mis dans une chambre secrète.

— Pas nécessairement, dit Score en esquissant un sourire. Vous n'avez probablement jamais entendu parler d'Edgar Allan Poe, mais ce dernier a écrit un roman très célèbre dans notre monde, un roman intitulé *La lettre volée*. C'est l'histoire d'un homme qui cache une lettre très importante que personne n'arrive à trouver jusqu'à ce qu'un détective comprenne où elle se trouve. Elle était cachée à la vue de tous, parmi d'autres lettres insignifiantes. C'était la meilleure cachette.

Pixel arbora un grand sourire.

— Alors, tu penses qu'Aranak aurait caché son livre le plus précieux dans sa bibliothèque, parmi d'autres ouvrages de peu de valeur ?

— Exactement, dit Score d'un ton suffisant. J'en suis même certain.

— C'est une possibilité, reconnut Renald, qui avait une théorie bien à elle.

— Cependant, mon père conserve ses objets précieux dans une chambre verrouillée, protégée par des gardes. Peut-être Aranak agit-il de la même façon.

— Il n'y a pas de gardes dans la tour, lui fit remarquer Score. Il n'y a que lui et nous.

— Aranak peut utiliser la magie, argumenta Renald. Il n'a pas besoin de gardes vivants.

Les sourires des deux autres disparurent. Renald poursuivit :

— Abordons les choses de façon magique, un peu comme une incursion armée. Après tout, nous essayons de trouver quelque chose qu'Aranak ne veut sûrement pas que nous découvrions.

— Alors, tu penses que c'est notre ennemi ? lui demanda Pixel, inquiet.

— Je ne sais pas, répondit-elle. Cependant, il semble vouloir préserver à tout prix ses secrets magiques. Je ne crois pas qu'il veuille partager avec nous des choses importantes au cas où nous deviendrions plus forts que lui. Cette idée semble l'effrayer. N'oubliez pas qu'il nous a dit qu'il restait dans la tour pour se tenir à l'écart des magiciens plus forts. Je crois aussi qu'il se retournerait contre n'importe qui pour sauver sa peau et qu'il s'attend à ce que nous agissions de même. C'est pour ça que je veux trouver le livre maintenant. J'ai l'impression qu'il nous apprendra beaucoup de choses.

— Ça a du sens, reconnut Pixel. Allons-y.

La bibliothèque était à sa place habituelle et ils y entrèrent donc tout simplement. Tout avait l'air aussi normal que pendant leurs leçons. Renald regarda autour d'elle. Il y avait des douzaines de rayons et des milliers de livres.

— La recherche risque d'être longue, dit-elle en soupirant. Et Aranak va bientôt partir à notre recherche.

— Mais qu'est-ce que nous cherchons au juste, demanda Score ? Serait-il possible de restreindre la recherche ?

— Oracle a parlé de chercher le livre à l'inverse, fit remarquer Pixel. Je ne suis pas sûr de ce qu'il voulait dire.

— Tout a été un jeu de mots jusqu'à présent, dit Renald lentement. Et la magie signifie qu'il faut savoir le vrai nom des choses. J'ai dans l'idée que cette assertion a un certain rapport avec le livre que nous voulons trouver.

— Je parie que tu as raison, d'approuver Pixel, un petit sourire en coin. Et le chercher à l'inverse signifie que le titre doit en être inversé. Nous devrions donc concentrer nos efforts sur un livre qui s'appellerait *Eigam al ed ervil el* pour *Le livre de la magie*.

— Attendez, fit Score en fronçant les sourcils. Je me souviens d'avoir vu un tel livre l'autre jour.

Il se concentra.

— Il était dans la section des romans d'aventure.

— L'endroit idéal pour cacher le fameux livre, dit Renald avec admiration. Quiconque le trouverait penserait qu'il s'agit d'une autre histoire stupide d'aventure.

Elle suivit Score, qui se dirigeait vers la section droite des rayons. Elle sentait des picotements dans les doigts, comme si sa main se rapprochait de quelque chose qu'elle voulait saisir. « Ce doit être celui-là. » Sans même regarder les titres, elle prit un livre qui semblait être exactement de la taille de sa main. *Eigam al ed ervil el* en était le titre, *Le livre de la magie* à l'envers.

Renald feuilleta l'ouvrage et une page en tomba. Elle saisit le bout de papier avant qu'il n'atterrisse sur le tapis et l'examina. Score et Pixel regardaient par-dessus son épaule.

Semblable à la page que Score leur avait montrée, la feuille montrait des codes tout aussi complexes, le seul élément familier étant 111 > 1 + 1 +1. Le tout était aussi difficile à déchiffrer.

— Zut, murmura Renald. Au lieu d'avoir une page que nous ne comprenons pas, nous en avons maintenant deux.

— Nous devrions être en mesure de déchiffrer celle-ci, insista Pixel. Il nous faut juste un peu de temps.

Il regarda fixement la ligne de lettres étranges.

– EOCROAUCTLEE... lit-il d'un ton songeur. Je me demande s'il s'agit d'un code, comme celui que nous avons déchiffré plus tôt, avec l'alphabet inversé. Cela donnerait...V-L-X-I-L.

Il arrêta.

– Non, ce n'est pas ça. Ça a encore moins de sens. Ce doit être autre chose.

– Que signifient ces points au-dessus et au-dessous des lettres ? demanda Renald. Ils sont en haut et en bas à tour de rôle. Serait-ce un indice ?

– Je pense que tu as trouvé, répondit Pixel en souriant. Si nous prenons une lettre toutes les deux lettres, nous obtenons d'abord... E-C-O-U-T-E, ensuite O-R-A-C-L-E. Donc, Écoute, Oracle !

– Cela veut-il dire que nous devons écouter tout ce qu'il dit ? de répliquer Score d'un ton maussade. Je ne suis pas du tout d'accord.

Il recommença à regarder les livres sur le rayon.

– En voilà un autre !

a été corrompu. Vo
man a pris le pouvoir. Si v

Il le leva en l'air. Le titre était *Smon sed ervil el, Le livre des noms.*

— Je me demande ce que c'est.

Renald replia la feuille de papier et la remit à l'intérieur de la couverture du *Livre de la magie*. Ce faisant, elle remarqua qu'il y avait un petit ex-libris à l'intérieur de la couverture. On pouvait y voir une paire de serpents entrelacés et les mots « Propriété d'Eremin ». Qui était Eremin ? Peut-être s'agissait-il du titre d'un ouvrage. Elle glissa ensuite le livre dans son sac de voyage et alla rejoindre Score.

Le nouveau livre était encore plus étrange que le précédent. On pouvait voir sur la couverture un miroir au-dessous du titre. Cela était-il significatif ? Score ouvrit la page et ils fixèrent tous, déconcertés, les étranges lettres à l'intérieur.

RENALD EST HÉLAINE
DERLETH EST SAMMAOS
WALKER EST CRAIG
ARANAK EST DARTHCOURT
PRIOR EST JENNIFER
ROOTHMAN EST CHA

— On dirait de l'art moderne, se plaignit Score. Je n'y comprends rien.

— C'est manifestement une autre sorte de code, fit remarquer Pixel. Il nous faut juste le décrypter.

— Peut-être chaque forme représente-t-elle une lettre, proposa Renald. Ce serait en somme un code de substitution.

— Peut-être, admit Pixel, sans paraître trop certain, ou peut-être autre chose.

Il fixa le livre un moment.

— Il y a un miroir sur la couverture, dit-il lentement. Peut-être est-ce un indice quelconque.

— De l'écriture en miroir ? s'étonna Score. C'est possible.

Il regarda autour de lui dans la salle et vit un miroir placé dans une alcôve.

— Essayons.

Il plaça la page contre le miroir et fronça les sourcils.

— C'est la même chose, se plaignit-il. Comme c'est étrange.

— Pas du tout, fit remarquer Pixel avec excitation. Cela signifie que le livre représente déjà l'image miroir. Ce que l'auteur a fait, c'est prendre une lettre et son image miroir et les coller ensemble. C'est pour ça que l'écriture nous semble si étrange. Pour le lire, il nous suffit de couvrir la partie gauche des lettres.

Il examina la page où ils se trouvaient.

— Cela veut dire : Derleth est Samaos.

— Fantastique, fit Score. Et ça ne nous dit absolument rien.

Un soupçon a traversé l'esprit de Renald.

— Peut-être pas, dit-elle lentement. C'est *Le livre des noms*, n'est-ce pas ? Et Aranak nous a dit que, pour exercer notre magie sur quelqu'un, il fallait connaître son vrai nom.

— C'est donc sa liste de vrais noms ! s'écria Pixel après avoir fait un signe de tête affirmatif.

Il tourna les pages du livre jusqu'à ce qu'il arrive à une section précédente. Voici la section A. Voyons si le nom d'Aranak s'y trouve.

Au bout de quelques minutes, il annonça aux autres en riant :

— Aranak est Darthcort. C'est le nom qu'il nous faut !

Dès qu'il eut prononcé ces paroles, Renald éprouva une étrange sensation. Elle avait l'impression que quelque chose lui tordait les boyaux et, soudain, son corps tout entier commença à lui faire très mal. Elle entendit le cri que poussaient Pixel et Score, et comprit que ce qui la frappait les frappait aussi. Elle vit des lueurs soudaines sans savoir si c'était à l'intérieur ou à l'extérieur de sa tête.

Elle se sentit tomber vers l'avant. Un charme devait protéger *Le livre des noms*, se dit-elle, et ce charme venait d'être rompu.

12

Pixel essaya de se mouvoir, mais en vain. Il avait l'impression d'être enfermé dans un plastique ; il était absolument incapable de bouger un muscle de son corps. Il eut un moment de panique, se demandant s'il n'était pas paralysé, jusqu'à ce qu'il se rende compte qu'il lui était possible d'ouvrir les yeux.

Il souhaitait presque de ne pas en avoir été capable, car il voyait Score et Renald à ses côtés, manifestement aussi impuissants que lui.

Ils n'étaient plus dans la tour, mais dans le pré en face, à l'orée de la forêt. Tout autour d'eux, il y avait une centaine de Bestials. Aranak se tenait devant eux, un sourire suffisant aux lèvres et *Le livre des noms* à la main. Il fit un geste et l'ouvrage disparut.

S'hee fit un pas en avant. Il avait un air à la fois penaud et résolu.

– Il vous faut continuer, les informa-t-il. Les Ombres ont ordonné votre immolation à la passerelle. Sinon, nous serons punis.

– Qui sont ces Ombres ? demanda Renald.

– Ce sont les sombres serviteurs du souverain du Diadème, répondit S'hee. Ils ont ordonné votre sacrifice et nous ne pouvons leur désobéir.

En étirant un peu le cou, Pixel put apercevoir la déchirure noire dans l'espace qui marquait l'extrémité de la passerelle.

– Je ne comprends pas, demanda Renald à Aranak. Pourquoi nous avez-vous aidés jusqu'à présent ?

– Ma chère fille, avoua-t-il après avoir soupiré, je ne vous ai aidés – très peu d'ailleurs – que pour mes propres fins. Vous vous souvenez que je vous ai dit que je restais sur ce monde parce que, si j'allais au Circuit intermédiaire du Diadème, la magie qui s'y trouvait me tuerait ?

– Oui.

— Eh bien, il y a un moyen d'éviter ça, d'expliquer Aranak. Il me suffit de siphonner vos pouvoirs pour les ajouter aux miens. Je vous ai enseigné des choses parce que je voulais déterminer si vous possédiez réellement des dons magiques qui me seraient utiles. Je dois admettre que j'ai été surpris par l'étendue de vos pouvoirs. Si j'avais continué à vous enseigner, vous seriez devenus plus puissants que moi.

Rahn fit un pas en avant, un air renfrogné sur son visage félin.

— Non ! insista-t-elle. Vous ne pouvez pas braver les Ombres. Les trois jeunes doivent être immolés.

— Je ne gaspillerai pas leurs pouvoirs ! répondit Aranak d'un ton brusque. Et je n'ai pas peur des Ombres.

— Que nous arrivera-t-il si vous nous enlevez nos pouvoirs ? demanda Pixel, toujours apeuré.

— Vous...

Aranak ne semblait pas y avoir pensé.

— J'ai bien peur que ça ne vous tue, mais ce sera pour une bonne cause, dit-il en esquissant un petit sourire suffisant.

— Non ! s'écria Renald, en essayant encore une fois de se dégager. Affrontez-nous comme un homme. Redonnez-moi mon épée !

Pixel vit que le fourreau de Renald était vide.

— Vous plaisantez, dit Aranak en riant. Ma jeune demoiselle, vous resterez où vous êtes jusqu'à ce que j'en aie fini avec vous.

— Non ! cria Rahn en bondissant vers lui, ses griffes et ses crocs prêts à lui déchirer la gorge.

Aranak fit un geste et la femme-léopard resta suspendue dans les airs, figée sur place à quelques pieds au-dessus du sol.

— Tellement mélodramatique, murmura-t-il.

Pixel était abasourdi. Il se rendit compte que les autres Bestials semblaient également figés sur place.

— Que leur avez-vous fait ? demanda-t-il à Aranak.

— J'ai simplement suspendu leur temps, lui répondit le magicien. Lorsque je disparaîtrai par le portail après avoir siphonné vos pouvoirs, le temps recommencera à couler pour eux. Ils ne sauront même pas qu'il s'était arrêté. À leurs yeux, je me serai tout simplement volatilisé.

Puis il s'adressa aux trois à la fois :

– Et vous serez morts. Je connais vos noms, ce qui vous soumet à mon pouvoir. Vous aurez beau vous débattre, vous ne pourrez pas m'échapper.

Il se pencha à nouveau sur son livre de formules magiques.

Pixel, glacé de terreur, comprit qu'Aranak avait raison. Il n'arrivait à bouger que la tête. Renald et Score se débattaient eux aussi en vain. Le magicien s'était finalement révélé sous son vrai jour, mais ils étaient tous les trois impuissants face à lui.

Ils allaient mourir parce qu'ils avaient commis l'erreur de donner leur nom à Aranak, sans se rendre compte de l'importance de ce renseignement.

Et tout à coup, Pixel prit conscience du fait qu'Aranak ne savait pas son nom et l'espoir germa en lui…

Pixel n'était pas son vrai nom ! C'était son nom sur le Web. Il l'utilisait si souvent qu'il n'y pensait plus, mais son vrai nom était Shalar.

Mon nom est Shalar, se dit-il. Pas Pixel ! Shalar n'est pas sous l'effet du charme. Il se répéta son vrai nom à maintes et maintes reprises. Il fallait que ça marche ! Il le fallait ! Sinon, ils mourraient tous...

Il réussit finalement à dégager sa main droite, Avec un sourire, il poussa vers l'avant. Sa main gauche était maintenant libre. Il voyait son assurance augmenter et le charme commencer à faiblir. Il pouvait sentir les chaînes se rompre alors qu'il se mettait péniblement debout. Aranak leva les yeux de son livre, surpris et secoué.

– Non ! s'exclama-t-il. Ce n'est pas possible. Tu ne peux rompre le maléfice d'enchaînement !

– Si, je le peux, dit d'une voix rageuse Pixel, qui exultait. Vous ne connaissez pas mon vrai nom.

– Ni le mien, cria Renald en se remettant sur pieds.

– Ni le mien, ajouta Score, se relevant pour se joindre à eux. C'en est fini de toi, sale menteur !

– Non, cria Aranak. Je peux encore gagner. Je connais la formule magique qui va vous vider sans tarder !

Il dit quelques mots et fit un geste de la main.

Sous l'effet de la magie, Pixel ressentit comme un ouragan qui s'abattait sur lui et qui lui déchirait l'âme. En proie à une agonie intolérable, il sentit la puissance qui lui brisait le cœur et l'âme, essayant de lui arracher la vie.

— Combattez-le, haleta Pixel. Il ne peut nous battre. Il ne connaît pas nos vrais noms !

Alors même qu'il prononçait ces mots, il sentit la pression commencer à diminuer. Les yeux noircis par la douleur, il fixa Aranak, qui était visiblement au bord de la panique.

— Si je ne peux vous vider, lança ce dernier, je vous tuerai !

Il leva les bras et le monde changea ! Pixel sentit un froid glacial le pénétrer et se vit entourer d'eau. Il lutta pour respirer, sachant qu'il s'enfonçait dans les eaux noires. Il avait l'impression que ses poumons allaient éclater et il ne voyait rien dans cette noirceur. Il devait aussi lutter contre la panique qui commençait à l'envahir. Sans que Pixel ne sache comment, Aranak avait réussi à les transporter dans l'océan, lui et probablement Score et Renald. Comment pourrait-il sortir de l'eau ?

Il n'arrivait pas à réfléchir et pouvait à peine respirer…

Soudain, l'eau disparut, bien qu'il continuât à faire noir. Pixel inspira profondément et commença à se détendre.

— Est-ce que ça va, vous autres ? entendit-il Score demander à quelques pieds de là.

— Oui, répondit Renald, en toussant.

— Qu'est-il arrivé ? demanda Pixel, toujours incapable de distinguer ce qui l'entourait.

— Je savais qu'un jour ou l'autre, commenta Score après avoir poussé de petits cris de joie, les émissions de télé me seraient utiles. J'ai juste imaginé un bouclier de force autour de moi, un peu comme celui qui est utilisé dans Star Trek, et voilà ! Ça a marché !

Pixel ne comprenait pas la logique de ce que Score expliquait, mais il n'insista pas.

— Tu peux garder le bouclier autour de nous ? demanda-t-il.

— Bien, avoua Score, mais ce n'est pas facile et je ne pourrai continuer longtemps. Alors, vous autres, pensez à un autre moyen de nous sortir de là.

Avant qu'ils puissent y réfléchir, ils étaient hors de l'eau… et ils étaient en train de tomber.

Pixel regarda au-dessous de lui et fut saisi d'angoisse. Ils avaient été élevés très haut dans les airs et ils redescendaient maintenant à toute vitesse vers le sol. Pixel avait le corps qui tremblait, en partie à cause de la peur et en partie en raison du froid qui le transperçait.

— Faites quelque chose ! grogna Score. Je garde le bouclier en place, mais je ne pense pas qu'il nous aide à rebondir.

Pixel essayait de se concentrer. Renald tremblait, transie par la peur. Elle venait évidemment d'un monde où le vol était inconnu. Pixel devait trouver une solution, et vite ! Des parachutes ? Non, ils étaient trop compliqués et le garçon n'était pas certain de pouvoir se former une bonne image mentale de leurs cordes. Il savait qu'un mauvais parachute était pire que de ne pas en avoir du tout.

Mais ensuite… Il sourit, croyant avoir trouvé la solution. Il forma soigneusement l'image dans sa tête de ce à quoi il pensait en priant pour que ça marche. Ils se précipitaient vers la terre à une vitesse vertigineuse. C'est alors que Pixel sentit le flot magique.

Immédiatement, les trois amis se retrouvèrent en train de faire du deltaplane. La voile au-dessus de Pixel se gonfla et, au lieu de tomber, le garçon se mit à planer. Il ne pouvait diriger le deltaplane, mais ça lui importait peu. Leur chute avait été arrêtée et ils étaient saufs. Score adressa un petit rire forcé d'encouragement à l'intention de Pixel et même Renald réussit à ébaucher un sourire craintif.

C'était presque amusant... mais tout changea à nouveau. Aranak avait dû savoir qu'ils avaient échappé au danger et il s'en prenait encore sans doute à eux.

Cette fois-ci, ils étaient tous les trois sur la terre ferme, le deltaplane les maintenant au sol. Pixel réussit à faire disparaître l'appareil et essaya de se relever.

La terre se mit alors à trembler, lui faisant perdre l'équilibre. Avant que le garçon ne puisse se remettre debout, le sol commença à se crevasser.

– Un tremblement de terre ! cria Renald.

Pixel réalisa que la jeune fille avait raison. Il vit une crevasse commencer à se former sous ses propres pieds. Aranak avait provoqué un tremblement de terre pour les tuer !

La terre s'ouvrit et Pixel entrevit le profond abîme qui s'ouvrait. Il n'arrivait pas à penser et il savait qu'ils allaient tous plonger dans la terre et mourir....

Le bouclier de force de Score réussirait-il à les sauver ? Pixel en doutait. Si la chute ne les tuait pas, les secousses telluriques et l'abîme s'en chargeraient. Le sol trembla encore, les jetant tous les trois à terre. Alors que Pixel regardait la scène avec horreur, une déchirure massive commença à se former dans la terre sous eux. Pixel eut l'atroce certitude qu'ils allaient mourir.

Tout à coup, les trois se retrouvèrent en train de flotter à quelques centimètres du sol. Comme ils n'étaient plus en contact avec la terre ferme, le tremblement avait cessé. Pixel n'ayant pas fait appel à sa magie, il regarda Renald.

– C'est la seule idée qui m'est venue pour nous éloigner du sol, dit-elle.

— Et ça a marché, admit Pixel en souriant. Les secousses ne peuvent plus nous toucher maintenant.

Il avait à peine prononcé ces mots qu'il sentit à nouveau la prise de la magie alors qu'ils étaient transportés — loin de la terre qui tremblait — vers quelque chose de bien pire encore.

Tout autour d'eux, de la lave ardente en fusion se faufilait à travers la roche solide, la brûlant. Aranak les avait précipités au cœur d'un volcan !

Pixel voyait distinctement les deux autres, tout aussi trempés et débraillés que lui. Bien que la chaleur augmentait dans leur petite bulle, il était évident que le bouclier de force de Score tenait le coup. Pixel pouvait cependant voir l'expression d'agonie sur le visage du garçon.

— Dépêche-toi, haleta Score. Je ne pourrai pas garder le bouclier levé encore bien longtemps.

De petites boules de lave grésillaient et bouillonnaient autour d'eux. Pixel réfléchit à un moyen de se sortir de cette situation.

— Si nous pouvions amener Aranak ici, suggéra-t-il, nous pourrions voir quelle formule magique il utiliserait pour se sortir des lieux.

— C'est une bonne idée, approuva Renald, à condition que la lave ne le tue pas.

— C'est son piège, leur fit remarquer Pixel. Il ne serait pas assez stupide pour s'y faire prendre.

— Grouillez-vous, haleta Score, qui n'en pouvait plus.

Renald fit un signe de tête affirmatif.

— Nous devons tuer Aranak, dit-elle à Pixel. Autrement, c'est lui qui nous tuera. L'idée me répugne, mais c'est la seule solution.

Pixel comprenait ce qu'elle voulait dire. Il aurait voulu qu'il y ait une autre issue, mais Aranak n'allait pas abandonner, et il le savait.

— Comment allons-nous nous y prendre ? demanda-t-il. C'est un magicien beaucoup plus expérimenté que nous.

— C'est vrai, reconnut Renald, mais nous pouvons le tuer sans utiliser la magie. Tu as vu à quel point mon épée lui fait peur.

— Mais tu ne l'as plus, objecta Pixel.

— Non, convint Renald, mais il a commis l'erreur de ne pas me fouiller quand il en a eu l'occasion. Une grosse erreur.

Elle sortit de sa botte un long poignard effilé.

– Maintenant, comment allons-nous l'amener ici ?

– Vite, hurla Score.

– La formule magique d'appel, c'est la solution, dit Pixel. Nous savons que son vrai nom est Darthcourt. Pour le faire apparaître, on n'a qu'à utiliser la formule magique et dire son nom à l'aide de l'alphabet inversé.

Renald approuva d'un signe de tête et se concentra. Pixel l'imita, se formant une image mentale de la formule magique. Ensemble, ils appelèrent ensuite « WZIGSXLFIG ! »

Et Aranak apparut, à l'extérieur de leur bouclier de force maintenu par la magie. Il eut tout d'abord l'air déconcerté ; ensuite il sembla irrité et finalement effrayé. Il murmura quelque chose et Pixel se concentra sur le charabia du magicien. Il devait s'agir de la formule qu'utilisait Aranak pour retourner à la tour. Pixel se forma une image d'eux trois embarquant sur la même formule magique…

Soudainement, ils étaient de retour dans la clairière en face de la tour. Aranak était déconcerté par ce qu'ils avaient fait encore une fois. Score s'écroula, haletant, l'air complètement épuisé. Le bouclier de force qui les protégeait s'évanouit.

– Comment se fait-il que vous soyez encore en vie ? hurla Aranak.

Il leva les mains en l'air, et le sol autour d'eux sembla exploser dans une frénésie. Des vrilles sortirent de terre et s'enroulèrent autour des trois amis. Croissant à une cadence vertigineuse, les plantes commencèrent à resserrer leur prise à la manière d'un étau. Pixel, la circulation coupée, n'arrivait plus à respirer. Il lui fallait se sortir de ce piège le plus vite possible !

Cependant, il y avait quelque chose de plus important encore pour le moment. Pour que Renald puisse arrêter Aranak, Pixel devait la libérer avant de se libérer lui-même. Il devait tenir bon… Luttant contre la douleur et la panique, il se concentra sur les vrilles qui retenaient la jeune fille. Il essaya d'être le plus précis possible et de se former une image claire des spires de la plante en train de se consumer. Il rassembla son énergie tout en prenant soin de ne pas brûler Renald.

Les bouffées de fumée firent leur effet. Les vrilles commencèrent à brûler et à tomber, laissant Renald tremblante, haletante, mais prête à l'action. Pixel vit le brouillard rouge de l'agonie lui bloquer la vision alors qu'il commençait à succomber. C'est alors qu'il aperçut le bras de Renald se lever et s'abattre.

Aranak poussa un grand cri. Il était figé sur place, les yeux fixés sur le couteau enfoncé dans sa poitrine. Ses yeux s'écarquillèrent de terreur, puis il s'écroula.

Au même moment, les vrilles qui emprisonnaient Pixel et Score se transformèrent en une poussière qui tomba au sol. Pixel se laissa crouler par terre, à peine capable de respirer ou de voir. Il réussit cependant à distinguer un éclat lumineux autour du corps d'Aranak alors que ce dernier se volatilisait.

— Nous sommes encore vivants, Score réussit-il à dire en se relevant.

Il avait l'air plus mort que vivant mais, tout comme Pixel, il allait retrouver rapidement ses forces.

— Oui, répliqua Renald, et c'est grâce à toi. Tu nous as sauvés, Score. Je t'en remercie.

— Ce n'était qu'un accident, avoua-t-il d'un air gêné. Pour sauver ma vie, il fallait d'abord que je sauve la vôtre. Je ne le referai plus, croyez-moi.

— Probablement pas, acquiesça Renald, en émettant un drôle de petit rire.

Dans son for intérieur, elle ne pensait pas que Score disait vrai, Pixel non plus d'ailleurs.

Rahn, S'hee et Hakar s'approchèrent, encore plus déconcertés que les trois amis.

— Qu'est... qu'est-il arrivé à Aranak ? demanda Rahn.

— Il est mort, répondit Pixel.

Rahn hocha la tête et regarda la passerelle encore ouverte.

— Vous devez la prendre, dit-elle avec fermeté.

— Minute, boule de poils, répliqua Score, contrarié. Rien ne nous y oblige. Vous avez entendu Aranak. Nous possédons le pouvoir. Nous pouvons donc envahir la tour. Vous ne vous débarrasserez pas de nous comme ça.

Rahn eut le visage assombri lorsqu'elle se rendit compte que c'était vrai.

— Mais... si vous ne prenez pas la passerelle, nous serons punis, dit-elle en gémissant presque.

— Tant pis pour vous, grommela Score. Ça ne nous concerne pas.

— Oui, ça nous concerne, insista Pixel en secouant la tête. Aranak se fichait des autres. Mais, moi, je n'accepte pas de voir des gens se faire punir quand je peux empêcher que ça se produise.

Il regarda fixement la passerelle.

— Quelque chose me dit aussi que nous devrions prendre cette passerelle.

— C'est peut-être la mort qui nous attend de l'autre côté, se plaignit Score.

— Nous avons failli être tués à plusieurs reprises dans ce monde, fit remarquer Pixel en émettant un grognement. Que peut-il nous arriver de pire dans un autre ?

— Es-tu certain de vouloir le découvrir ? lui demanda Renald, souriant presque avec fierté.

— Non, avoua honnêtement Pixel, mais avons-nous le choix ?

— Je ne le pense pas, admit Renald. En tant que guerriers, nous sommes les seuls à avoir une chance de nous en sortir vivants. Aranak nous a dit qu'au niveau suivant nos pouvoirs seraient décuplés. Or, nous aurons besoin de ce surplus de puissance si nous devons nous battre contre les Ombres. Par ailleurs, j'ai assez vu les Bestials. Laissons-les vivre en paix.

— Vous feriez ça de votre plein gré ? s'étonna Rahn, abasourdie. Vous vous sacrifieriez pour nous sauver ?

— Que les personnes qui sont de l'autre côté de la passerelle prennent bien note de ceci, de dire Score : si elles se frottent à nous, elles le regretteront. N'est-ce pas, vous deux ? ajouta-t-il en regardant Renald et Pixel.

— Oui ! répondirent en chœur ces derniers.

Les Bestials secouèrent la tête, perplexes et en même temps fiers. Rahn glissa la main dans la bande de tissu qu'elle portait à la taille et en retira un tout petit sac.

— Vous êtes tous très braves, dit-elle, manifestement impressionnée. Pour vous récompenser de vous soucier de nous, je vous donne ceci.

— Qu'est-ce que c'est ? demanda Pixel en prenant le sac.

— Des gemmes, répondit Hakar. Les utilisateurs de la magie sont capables d'accroître leurs pouvoirs s'ils les concentrent sur des pierres précieuses. Les gemmes vous aideront où que vous soyez.

— Je suis désolé que nous nous quittions sur cette note, mais nous ne vous oublierons pas, dit Pixel, l'air gêné. Merci.

Il mit les gemmes dans sa poche. Une fois rendu dans l'autre monde, il les examinerait pour en déterminer l'utilité. Il savait que ce n'était que par culpabilité que les Bestials se montraient généreux à leur égard. Et puis, oui, ils étaient coupables. Il était difficile de les plaindre ou de se montrer tendre à leur égard. Pixel se tourna vers ses compagnons.

— Êtes-vous prêts ?

— Autre chose, dit Hakar. Il tendit les mains et Renald arbora un grand sourire.

— Mon épée !

Elle la lui arracha des mains et la glissa dans son fourreau. Elle fit signe aux Bestials de reculer, puis se tourna vers Pixel et Score.

— J'ai de la difficulté à présenter des excuses, avoua-t-elle lentement, ou à admettre que je suis dans l'erreur. Cependant, laissez-moi vous dire que je suis désolée, car je m'étais trompée à votre sujet. Vous n'êtes pas des lâches. Vous avez fait vos preuves.

Elle grimaça avant d'ajouter :

— Et mon vrai nom est Hélaine.

Pixel était abasourdi à la fois par les excuses et la révélation.

— Tu viens de nous dire ton nom, lui dit-il. Tu nous as donné un pouvoir sur toi !

— Je sais, admit-elle calmement. Je suis persuadée que je peux vous faire confiance.

Elle lui tendit la main.

Pixel la serra.

— Je m'appelle Shalar, dit-il à son tour, profondément ému.

Score émit un grognement, mais tendit à son tour la main.

— Tout est tellement théâtral avec vous deux ! Je m'appelle Matt. Est-ce qu'on y va enfin ?

Pixel et Hélaine firent un signe de tête affirmatif en souriant.

— Allons-y, dit Pixel, se sentant plus courageux qu'il ne l'avait été depuis longtemps. Sachant que ses amis le suivaient, il entra dans la passerelle.

Pour aller où ?

ÉPILOGUE

Les Ombres se contorsionnaient en tous sens et riaient en observant ce qui se passait dans la boule de cristal. Tout se déroulait selon les plans du Maître.

– Que ces jeunes sont imbéciles, murmura le Maître, tout heureux. Je sais maintenant leurs vrais noms : Hélaine, Shalar et Matt. Et s'ils pensaient qu'Aranak était un dur à cuire... ils verront de quel bois je me chauffe.

Il rit en son for intérieur et les Ombres l'imitèrent, leurs voix sinistres résonnant dans les salles. Les ennuis du trio ne faisaient que commencer…

L'histoire se poursuit dans

LE LIVRE DES SIGNES

Consultez les autres livres de la série Diadème de John Peel

Suivez les aventures de Score, d'Hélaine et de Pixel. Le Diadème est un endroit dangereux et notre trio de jeunes magiciens commence à peine à en découvrir les dangers. De puissantes forces magiques cherchent à les attirer vers le centre du Diadème en vue de la bataille décisive.

2

LE LIVRE DES SIGNES

Dans le deuxième livre de la série Diadème, Score, Hélaine et Pixel se retrouvent sur Rawn, où ils doivent utiliser leurs pouvoirs pour lutter contre des gnomes, des trolls et un monstre géant se terrant dans un lac. Les trois jeunes sorciers se lient d'amitié avec des centaures et apprennent à se servir de pierres précieuses magiques. Entre-temps, une force mystérieuse continue à les attirer vers le centre du Diadème. Quel sera leur sort ?

3

LE LIVRE DE LA MAGIE

Le troisième livre de la série débute sur Dondar, à un monde du centre du Diadème. Les jeunes se lieront d'amitié avec des unicornes, qui s'a-véreront de précieux alliés. Cependant, lorsqu'ils sont emportés de Dondar vers Jewel, le centre du Diadème, ils doivent unir leurs efforts pour réussir le test ultime : affronter Sarman et la Triade, les forces qui, depuis le début, les atti-rent vers la bataille décisive.

4

LE LIVRE DE TONNERRE

La Triade est peut-être vaincue et le Diadème protégé, mais Score, Pixel et Hélaine ne sont pas au bout de leurs peines. Les licornes sont en danger et Tonnerre a été vaincu. Les trois jeunes sont seuls à pouvoir découvrir qui ou quoi contrôle la harde de licornes et à pouvoir sauver Tonnerre.

5

LE LIVRE DE LA TERRE

Dans le Diadème, le danger n'est jamais conjuré, il change tout simplement de forme. Une force du mal inconnue vise maintenant Score qu'une attaque magique meurtrière risque d'emporter.
Déterminés à sauver leur ami, Hélaine et Pixel décident de le ramener à sa ville natale, New York, de la planète Terre, située sur le cercle extérieur. Mais Score n'est pas en état de les aider et les pouvoirs magiques de Hélaine et de Pixel sont considérablement réduits sur ce monde singulier et inconnu.

6

LE LIVRE DES CAUCHEMARS

Pixel a été fait prisonnier sur Zarathan, monde où l'on plonge dans ses pires cauchemars et où s'endormir entraîne la mort. Score et Hélaine doivent surmonter leurs peurs les plus sourdes pour secourir Pixel de l'une des planètes les plus dangereuses du Diadème. Alors que Hélaine et Score combattent des squelettes féroces, des cadavres encore vivants et des fantômes buveurs de sang, ils doivent affronter un nouveau problème épineux : comment tuer une chose qui est déjà morte? Score, Hélaine et Pixel ne le savent pas encore, mais leur cauchemar ne vient que commencer…

7

LE LIVRE DE LA GUERRE

Après son départ précipité du royaume de son impitoyable de père pour fuir un mariage arrangé à un homme qu'elle ne pouvait supporter, Hélaine, résolue à arranger les choses, retourne au château de sa famille à Ordin. Pixel et Score se rallient à sa décision surprenante et l'accompagnent à son monde antérieur, une planète médiévale de nobles hautains, de paysans désespérés et de batailles incessantes au sujet des terres.

8

LE LIVRE DES OCÉANS

Jenna, la jeune guérisseuse de la planète natale de Hélaine, s'est jointe à Score, Pixel et Hélaine dans leur quête de protection du Diadème contre les forces diaboliques. Mais la rivalité qui règne entre Hélaine et Jenna menace l'harmonie du groupe.
Pour retrouver la paix, les quatre utilisateurs de magie décident de prendre des vacances reposantes au bord de la mer et se dirigent vers Brine...

Pour obtenir une copie de notre catalogue :
Éditions AdA Inc.
1385, boul. Lionel-Boulet, Varennes, Québec, J3X 1P7
Télécopieur : (450) 929-0220
info@ada-inc.com
www.ada-inc.com
Pour l'Europe :
France : D.G. Diffusion Tél.: 05.61.00.09.99
Belgique : D.G. Diffusion Tél.: 05.61.00.09.99
Suisse : Transat Tél.: 23.42.77.40
AdA Inc.
AdA jeunesse